# Theologische Studien

## 108

Begründet
von
Karl Barth

Herausgegeben
von
Max Geiger
Eberhard Jüngel
Rudolf Smend

# Franz Hesse

# Abschied von der Heilsgeschichte

Theologischer Verlag Zürich

# Theologische Studien

*Begründet von Karl Barth*
*Herausgegeben von*
*Max Geiger*
*Eberhard Jüngel*
*Rudolf Smend*

# Franz Hesse

# Abschied von der Heilsgeschichte

Theologischer Verlag
Zürich

tvz

© 1971
Theologischer Verlag Zürich
Druck: Schüler AG, Biel
ISBN 3 290 17108.6

# Inhalt

# I. Was ist
«Heilsgeschichte»?

Wer sich in der Gegenwart auf das Unternehmen einläßt, eigene Überlegungen zum Thema «Heilsgeschichte» beizusteuern, wird dabei zunächst zu bedenken haben, daß er hier mit einem Begriff umgeht, der einer in starkem Maße abgegriffenen Münze gleicht. So ist es nicht verwunderlich, daß er alsbald auf die Frage stößt, ob man diesen Begriff, eine «gefährliche Chiffre»[1], nicht lieber ganz aus dem Spiel lasse. Diese Frage erscheint um so berechtigter, als man bis in unsere Tage hinein eine auffallende Unbefangenheit im Umgang mit dem Terminus «Heilsgeschichte» beobachtet, so als sei jedermann klar, was man darunter zu verstehen habe. Auch einem Verfasser wie Ernst Käsemann, der zu Beginn seiner Ausführungen programmatisch die Forderung erhebt, das Wort «Heilsgeschichte» müsse «wie alle gefährlichen Worte» möglichst genau definiert werden[2], kann es passieren, daß wegen des eigenen Verzichts auf die Erfüllung dieser Forderung seine weiteren Ausführungen zum Thema unter einer erheblichen Unschärfe leiden. Zunächst allerdings wird das, was unter «Heilsgeschichte» zu verstehen ist, von ihm, einem hier beispielhaft herangezogenen Autor, in einer Weise umrissen, die stark an das landläufige Verständnis erinnert: Heilsgeschichte hat eine räumliche und eine zeitliche Dimension, stellt einen Zusammenhang dar, der von der Schöpfung über das Geschehen der Erwählung Israels und über die Verheißung zu Christus und zur Parusie führt; solches wird an dieser Stelle als die Ansicht des Apostels Paulus dargestellt[3]. Bei dieser vagen Umreißung anstelle einer genauen Definition bleibt es, und es hilft auch wenig weiter, wenn der Autor die Heilsgeschichte, angeblich im Sinne des Paulus, als Kampffeld der Civitas Dei und der Civitas Terrena bezeichnet[4]. Immerhin ist mit der Vokabel «Kampffeld» die Weiche in eine bestimmte Richtung gestellt, in die man den Zug dann fahren sieht, wenn man

---

[1] G. von Rad, Antwort auf Conzelmanns Fragen. EvTh 24, 1964, 391.
[2] Rechtfertigung und Heilsgeschichte im Römerbrief, in: Paulinische Perspektiven, 1969, 112.
[3] Ebd. 122.
[4] Ebd. 120.

sich über des Verfassers Verständnis von «Heil» belehren läßt: Heil ist ein paradoxer Begriff. Dies kommt am deutlichsten dort zum Ausdruck, wo Käsemann definiert: Jesu «Recht auf uns ist unser Heil, wenn er es (was?) nicht fallen läßt. Es wird unser Unheil, wenn wir ihm trotzen»[5]. Heil besteht niemals darin, «daß uns irgend etwas gegeben wird, sei es noch so wunderbar. Heil ist immer nur Gott selber in seiner Gegenwart für uns»[6]. Das ist eine eigene, um nicht zu sagen eigenwillige Definition dessen, was unter Heil zu verstehen ist; gewiß eine sehr tiefgehende, an die aber doch die Frage gestellt werden muß, ob sie dem biblischen Befund gerecht wird. Dem alttestamentlichen – so viel kann hier schon bemerkt werden – gewiß nicht! Weil Heil nach dieser Bestimmung u. U. auch Unheil in sich schließen kann, sofern dieses unmittelbare Folge der Gegenwart Gottes für uns ist, darum kann Heilsgeschichte beschrieben werden als «die Geschichte Adams und des verlorenen Sohnes, des gekreuzigten Christus, der zerstreuten Herde, der sich bekämpfenden Konfessionen, und Glaube und Aberglaube kreuzen sich in ihr unablässig»[7]. Zweifellos ist der Versuch anerkennenswert, das gängige Verständnis von Heilsgeschichte durch die theologia crucis korrigieren und vertiefen zu lassen; aber es bleibt die Frage, ob der Terminus «Heil» hier nicht sehr eigenwillig interpretiert wird. Außerdem bleibt offen, wo man in dieser «Heilsgeschichte» jenes Kontinuums ansichtig wird, das wesensmäßig zu «Geschichte» hinzugehört.

Die «Heilsgeschichte», wie Käsemann sie sieht und umschreibt, hat für den, der über sie und ihre Funktion nachdenkt, eine bestimmte theologische Bedeutung: Sie bewahrt denjenigen, für den die paulinische Rechtfertigungsbotschaft den Kern des Evangeliums darstellt, vor der Gefahr, sich nur am Individuum zu orientieren[8]. Denn hinter der Verknüpfung von Rechtfertigung und Heilsgeschichte «lauert das Problem des Verhältnisses von Glaube und Welt»[9]. Dadurch daß es Heilsgeschichte gibt, wird erwiesen: Gott handelt mit der Welt, nicht nur mit den Frommen[10]. Die heilsgeschichtliche Betrachtungsweise rückt den Menschen in einen Horizont, der ihn zum Glied eines weltweiten Geschehens macht[11]. Hier ist – anders als bei dem vorhin Zitierten – das landläufige Verständnis von Heilsgeschichte auf den Kopf gestellt: Während der traditionell heilsgeschichtlich denkende Theologe die Heils-

[5] Ebd. 133.
[6] Ebd. 132.
[7] Ebd. 124.
[8] Ebd. 116 f.
[9] E. Käsemann, Der Glaube Abrahams in Röm 4, in: Paulinische Perspektiven, 1969, 151.
[10] Ebd. 155.
[11] Ebd. 176.

von der Weltgeschichte abhebt, unterscheidet, ja jene im Gegensatz zu dieser sieht, soll nun der heilsgeschichtliche Horizont den Glaubenden davor bewahren, nur an individuelles Heil zu denken, ihm vielmehr deutlich machen, daß Gott mit der Welt handelt. Wieso die heilsgeschichtliche Betrachtungsweise, vor ungerechtfertigtem Individualismus schützend, den Blick für das Welthandeln Gottes öffnen soll, wird aber nicht einsichtig gemacht.

Dies als ein Beispiel für viele, wie selbstverständlich auch heute noch mit der abgegriffenen Münze «Heilsgeschichte» umgegangen wird, wobei sich der jeweilige Autor im allgemeinen der Mühe enthoben glaubt, präzise zu sagen, was er eigentlich meint, wenn er von «Heilsgeschichte» redet. Aber ohne eine solche genaue Begriffsbestimmung geht es nicht. Dabei ist selbstverständlich möglichst nahe beim sensus literalis des Begriffs zu bleiben; man darf diesen nicht lediglich als Chiffre für einen beliebigen anderen Inhalt benutzen. Solches gilt auch und vor allem dann, wenn einem der Begriff selbst und die damit gemeinte Sache fragwürdig geworden sind, gilt auch dann, wenn einem beispielsweise das Problematische dieses Terminus durch den Hinweis drastisch vor Augen geführt wird, es sei unmöglich, ihn sachgerecht ins Englische zu übersetzen[12].

«Heilsgeschichte» meint jedenfalls nicht nur, daß das dem Menschen von Gott her zugedachte, zugesprochene Heil in die Geschichte der Menschen eingeht; solches drückt sich bereits im Terminus «Heilsgeschehen» aus. «Heilsgeschichte» meint mehr: daß dieses Heil in irgendeiner Weise selbst eine Geschichte hat, die in einem unlösbaren Konnex zur Menschheitsgeschichte steht, oder auch: daß das Heil Geschichte auf eine längere Strecke hin gestaltet. Die Geschichte, die das Heil hat, oder die Gestaltung, die der Geschichte durch das Heil zuteil wird, können so aussehen, daß das, was wir Menschheitsgeschichte – oder einen Sektor von ihr – nennen, in ihrer Gesamtheit oder auch in einer bestimmten Periode (mehreren Perioden) ihr Wesen von dem in ihr *präsenten* Heil Gottes empfängt. Unter «Heilsgeschichte» kann man aber auch einen Geschichtsablauf verstehen, der insofern zielstrebig verläuft, als nach dem Willen und der Absicht Gottes diese Geschichtsstrecke auf ein Telos hinausläuft, das «Heil» bedeutet. Im letzteren Falle geht es nicht um präsentisches, sondern um *futurisches* Heil. Weil es aber das Heil Gottes ist, steht es so sicher in Aussicht, daß es ungeachtet seines zukünftigen Charakters die Gegenwart entscheidend bestimmt, man kann es darum nahezu als präsentisch bezeichnen, weil es für den Glaubenden im Glauben gegenwärtig ist. Es bleibt allerdings insofern futurisches Heil, als

[12] G. von Rad, Antwort auf Conzelmanns Fragen. EvTh 24, 1964, 391.

es das Telos des Geschichtsverlaufs darstellt. Dieses Heil, als Telos der Heilsgeschichte verstanden, kann in verschiedener Weise angebahnt werden: unmittelbar so, daß Gott es jetzt schon wenigstens partiell erscheinen oder daß er es dem Glaubenden in seinem Glauben gegenwärtig sein läßt, aber auch indirekt in contrario so, daß in der Gegenwart ein Unheilszustand herrscht, allerdings mit dem Sinn, daß das am Ende zu erwartende Heil um so heller strahle, das Warten darauf um so dringlicher werde.

Wenn man in dieser oder ähnlicher Weise zu beschreiben versucht, was unter Heilsgeschichte zu verstehen ist, ist man außerdem eine nähere Erläuterung dessen schuldig, was man unter «Heil» versteht[13]. Dabei darf man wiederum nicht von eigenen Gedanken und Vorstellungen über das, was das Heil Gottes sein könnte, ausgehen, sondern muß den biblischen Befund zugrundelegen. Kann man aber überhaupt von *dem* biblischen Befund als einem einheitlichen sprechen? Das alt- und das neutestamentliche Verständnis von «Heil» sehen zweifellos, ungeachtet mancher noch hinzukommender innertestamentlicher Differenzen, sehr verschieden aus. Das fällt vor allem dann ins Gewicht, wenn man «Heilsgeschichte» in dem oben an erster Stelle präzisierten Sinne versteht, d. h. Heil als eine präsentische Gegebenheit faßt. Hier müßte man für jenen Teil dieser Heilsgeschichte, der ante Christum liegt, das alttestamentliche Verständnis von «Heil» zugrundelegen, während für die Heilsgeschichte post Christum das maßgeblich wäre, was das Neue Testament unter dem von Gott geschenkten Heil versteht. Denn präsentisches Heil ist nur dann wirklich Heil, wenn es von den Betreffenden auch als solches verstanden und aufgenommen wird; darum kommt es entscheidend auf das jeweilige Heilsverständnis an.

Wir fragen also zunächst nach dem alttestamentlichen Verständnis von «Heil». Dieser Begriff, im Alten Testament vielfach auf Israel als auf eine völkische Gemeinschaft bezogen, gehört demzufolge dem politischen Bereich an. Deutlicher als durch den Terminus šalom, den wir gewöhnlich mit «Heil» übersetzen, wird das durch die Verwendung der Wurzel ישע , die sowohl den Akt der Rettung, der Hilfe bezeichnen kann wie auch den daraus folgenden Zustand des Friedens, des Heils[14]. Dem, was hier unter

---

[13] Angesichts der Tatsache, daß in der Wissenschaft der Gegenwart der Geschichtsbegriff durchaus kontrovers ist, sollte man mit Fug und Recht von dem, der sich auf das Thema «Heilsgeschichte» einläßt, auch eine Klärung dessen erwarten, was er unter «Geschichte» versteht. Aber es darf wohl auf das Verständnis des Lesers gerechnet werden, wenn von einem solchen Unternehmen im Rahmen dieser kurzen Abhandlung abgesehen werden muß.

[14] G. Fohrer in ThWB VII 973 ff. Vgl. auch Bibellexikon, hrsg. von H. Haag, 1968, s. v. «Heilserwartung».

«Heil» zu verstehen ist, haftet also in ausgesprochenem Maße etwas Privatives an: Heil erlangt man dadurch, daß man aus Widrigkeiten und Gefahren aller Art errettet wird.

Das soeben Herausgestellte sei an einem Beispiel verdeutlicht: «Wir wollen die Lade Jahwes aus Silo zu uns holen, damit er in unsere Mitte komme und uns aus der Hand unserer Feinde errette» – diesen Entschluß sollen die Israeliten nach der alten Ladeerzählung gefaßt haben, als sie durch die Invasion der Philister in hohe Bedrängnis geraten waren (1. Sam. 4,3). Hier ist, auf eine kurze Formel gebracht, gesagt, was man tun muß, um Befreiung, Rettung zu erlangen, um sich ein heilvolles Geschehen zu den eigenen Gunsten zu sichern: Man muß die für den šalom der Gemeinschaft, der man zugehört, zuständige und verantwortliche Gottheit veranlassen, sich selbst an der Spitze des Heeres in die kritische Situation zu begeben. Tut sie das, dann wird sie kraft der von ihr ausgehenden Macht, kraft der von ihr mit Fug und Recht zu erwartenden Hilfsbereitschaft die Krisis zum Heile der ihr anvertrauten Gemeinschaft wenden. Wenn die Gottheit selbst unsichtbar ist, dann tritt an ihre Stelle das Gottesbild, die Statue oder sonst irgendein die Gottheit repräsentierender Gegenstand; diese nehmen jenen Platz ein, der an sich der Gottheit selbst zusteht. In unserem Falle ist es die Lade, mit der der Gott Israels[15] verbunden ist.

Die Gegenwart des Gottes, dessen Zuständigkeitsbereich man sich angehörig weiß, bewirkt dann, wenn sie tatkräftig zu den eigenen Gunsten eingreift, Heilsgeschehen. Dieses ist nun eine nicht nur für die Israeliten charakteristische, sondern im ganzen Alten Orient verbreitete, darüber hinaus in der gesamten Religionsgeschichte so gut wie selbstverständliche Sicht; so bedarf es kaum der Anführung von Belegen. Einige seien beispielhaft für viele andere genannt. «Aufbruch meiner Majestät nach Norden, mit meinem Vater Amon-Rê von Karnak ... vor mir»[16]; der Gott Amon-Rê, Vater des Pharao, zieht also dem Heere in die siegreiche Schlacht voran. Schon die Tatsache, daß der Pharao in höchsteigener Person an der Spitze seiner Soldaten in den Kampf zieht, kann als Beleg für die allgemein verbreitete Überzeugung gelten, daß die zuständige Gottheit Heil für das eigene Gemeinwesen wirkt; ist doch der Pharao selbst (als Sohn der Gottheit) seiner Abstammung nach Gott. Der assyrische König Assarhaddon weiß sich in den Kämpfen, die er bei seinem Regierungsantritt zu bestehen hat, von einer ganzen Reihe von Göttern Mut zugesprochen: «An deiner Seite gehen wir; wir werfen nieder deine

---

[15] auf eine uns freilich trotz einer Unmenge von Forschungsarbeiten immer noch nicht deutliche Weise.

9    [16] AOT ²84.

Feinde»[17]. Vor allem Ištar tut sich in dieser Hinsicht hervor: «Ištar, die Herrin des Kampfes und der Feldschlacht, die mein Priesteramt liebt, trat mir zur Seite, und ihren (sc. der Feinde) Bogen zerbrach sie».[18] Auch dann, wenn nicht ausdrücklich davon gesprochen wird, daß der Gott höchstpersönlich mit in den Kampf zieht, weiß der König sich doch seines tatkräftigen Beistandes sicher; Sanherib etwa hat «im Beistande Ašurs, meines Herrn» mit den Feinden gekämpft und konnte ihnen so eine Niederlage beibringen[19]. Es ist der Schreckensglanz des Gottes Assur, der die Feinde besiegt[20].

In polytheistischen Religionen kann die Frage aufkommen, welche von den vielen zu verehrenden Gottheiten in besonderem Maße das heilvolle Geschehen bewirkt bzw. bewirken. Man nimmt dafür die Hauptgötter in Anspruch, etwa Amon-Rê in Ägypten, Assur in Assyrien, Marduk in Babylonien, oder man hält sich an die hauptsächlich für ein Kriegsgeschehen in Betracht kommende Gottheit, z. B. Ištar.

Eine weitere Frage betrifft auch Religionen henotheistischer Prägung: Wie gestaltet sich das Verhältnis der siegreichen Gottheit(en) zu der(den)jenigen der unterworfenen Völker? Diese Frage wird durch die kultische Praxis in der Regel so beantwortet, daß die Verehrung des siegreichen Gottes diejenige der besiegten Götter zurückdrängt, in den Winkel verweist. Müssen die unterworfenen Völker ins Exil, so werden mit ihnen und mit der gemachten Beute gern auch die Götter(bilder, -statuen) dieser Völker in die Verbannung geschleppt; auf diese Weise wird ihre Ohnmacht dokumentiert. Dies geschieht allerdings nicht in jedem Falle; Salmanassar III. kann beispielsweise dem Hadad von Aleppo, einer Stadt, die durch rechtzeitige Unterwerfung und Tributleistung der drohenden Belagerung und Eroberung entgangen ist, Opfer darbringen[21] – auch die Gottheit eines besiegten Volkes stellt trotz ihrer offensichtlichen Ohnmacht auch für den Sieger noch eine latente Bedrohung dar.

Wie Amon-Rê für die Ägypter, Assur für die Assyrer, Marduk oder Ištar für die Babylonier, so wirkt Jahwe als der Gott Israels heilvoll für die Israeliten. Weil dies gar nicht anders sein kann, darum muß die Ausführung des Entschlusses auf jeden Fall für den Erfolg bürgen: «Wir wollen die Lade Jahwes aus Silo zu uns holen, damit er in unsere Mitte komme und uns aus der Hand unserer Feinde errette».

[17] AOT ²356.
[18] Ebd.
[19] AOT ²353.
[20] AOT ²351.
[21] AOT ²340.

Auf die politische Größe «Volk» bezogen, ist «Heil» demnach so zu bestimmen: Ein heilvoller Zustand für Israel tritt dann ein, wenn sein Gott es aus der Gewalt seiner Feinde befreit oder es vor dieser Gewalt bewahrt hat. Heil für ein Volk ist nach dem Alten Testament ganz und gar ein politisches Heil.

Für die israelitische Vorgeschichte ergibt sich zusätzlich noch eine Variante: Heil ist für die nomadischen und halbnomadischen Sippen dann gewährleistet, wenn der Gott Menschen und Tiere vor wilden Tieren und sonstigen Gefährdungen schützt. Aber den nomadisierenden Israeliten wird auch bald bewußt: Heil im Nomadendasein ist überhaupt nur relatives Heil. Volles Heil gibt es nur durch den Übergang in die andere, erstrebenswerte Kulturstufe der Seßhaftigkeit. Darum sieht man die Heilsverheißung an die Ahnherren immer wieder konkretisiert in der Zusage von Landbesitz.

Heil, als politischer Friedenszustand verstanden, ist aufs Ganze gesehen gleichbedeutend mit stabilen, durch die Feindvölker nicht leicht oder überhaupt nicht zu verändernden Verhältnissen, mit Wohlstand, Reichtum, Ansehen, Überlegenheit über andere Völker und, als innere Folge alles dessen, mit Zufriedenheit und Glück.

Aber Heil wäre unzulänglich verstanden, wenn es nur im Sinne einer Zustandsbestimmung gefaßt würde. Heil wird Wirklichkeit durch ein personales Verhalten; Heil ist gewährleistet durch die heilvolle Gesinnung des anderen: des potentiellen Feindes, der nun aber zum Bundesgenossen geworden ist, vor allem aber Jahwes. Heil gibt es für Israel darum, weil Jahwe seinem Volke gegenüber von Anfang an eine heilvolle Gesinnung an den Tag legt. Dies wird im Laufe der Zeit um so wichtiger, je verinnerlichter der Begriff Heil gefaßt wird.

Denn bei dem Verständnis Heil = Folgezustand einer Bewahrung und Errettung vor den politischen Feinden bleibt es nicht. Der Ton kann sich entscheidend verlagern vom rettenden oder bewahrenden Akt, der Heil ermöglicht, hin auf die Beschreibung des Zustandes selbst, jenes Zustandes, den das Alte Testament mit šalom meint. Wenn beispielsweise der Jahwist den Völkern, sofern sie Abraham ( = Israel) Segen zukommen lassen, Heil von Jahwe her zuerkennt und tatsächlich in dieser Hinsicht die Völkergeschichte zur Heilsgeschichte werden läßt, so ist damit allein dies gemeint, daß den Völkern Friede, Wohlstand, Wahrung ihres Besitzstandes u. ä. gewährleistet wird. Die beiden Hauptbegriffe, die das Alte Testament für das kennt, was wir «Heil» nennen, haben insofern, wie schon erwähnt, verschiedene Bedeutungsnuancen: Während der Stamm ישע mehr die Aktion meint, die den Heilszustand herbeiführt – ohne daß man aber Aktion und Folgezustand allzu genau voneinander trennen dürfte –, will šalom mehr den Heilszustand selbst beschreiben. Da dieser vielfältiger Art ist, ist das mit šalom Gemeinte oft nicht genau bestimmbar; ישע hat, damit verglichen, etwas Präziseres, weil die Gefahren, vor denen bewahrt, aus denen errettet werden muß, im allgemeinen genauer beschrieben werden können.

Wie für die Gemeinschaft, so gibt es auch für den der Gemeinschaft zugehörigen Einzelnen Rettung, Bewahrung und als Folge davon: Heil. Auch hier eignet den Termini deutlich etwas Privatives, denn auch der Einzelne muß aus der Gewalt persönlicher Feinde oder feindlicher Mächte wie Armut, Krankheit, Lebensminderung sonstiger Art befreit werden, um des Heils teilhaftig zu sein. Im übrigen ist er ganz und gar in das Kollektivum hineinverkettet, so daß es für ihn nur dann Heil gibt, wenn die Gemeinschaft nicht im Unheilszustande lebt.

Durch das ganze Alte Testament hindurch haftet dem Begriff «Heil» etwas ausgesprochen Materielles an; Heil ist nun einmal unlöslich verbunden mit politischem Frieden, Besitz, Wohlstand, Gesundheit. Trotzdem darf eines nicht übersehen werden: Heil ist durchweg Gabe von Jahwe her, auch dann, wenn es in oder durch Menschen gewährt wird. Das Ärgste, was dem israelitischen Menschen geschehen kann, ist aber dies, daß er von Jahwe getrennt wird. Was ihn in erster Linie von Jahwe trennt, ist seine Sünde, ist die Verstrickung in Schuld. Heil, das in der Aufhebung dieser Trennung besteht, ist dann entweder Gewährung von Sündlosigkeit, wie sie verschiedentlich für die endzeitliche Heilszeit in Aussicht gestellt wird, oder – für das Hier und Jetzt – Sündenvergebung. Der Akt, der zum Heile führt, ist dann die Rettung aus dem an sich verdienten Gericht; gemeint ist in diesem Sinne «das entgegen der rechtlich einwandfreien Verdammung dennoch sich ereignende Heilshandeln Gottes»[22]. Solches Heil kann auch der Gemeinschaft zuteil werden, widerfährt aber in erster Linie dem Einzelnen. Ergebnis solches Heilshandelns ist šalom als Friedenszustand mit dem dem Sünder gegenüber heilvoll gesonnenen Jahwe, eben das, das Paulus εἰρήνη πρὸς τὸν θεόν nennt (Rm 5, 1). Von Heil in diesem Sinne ist im Alten Testament freilich nur sehr vereinzelt die Rede; man darf aber diese Stellen nicht über den vielen übersehen, die šalom mehr oder weniger materiell fassen und dem Vergeltungsdenken einordnen.

Heil und Unheil sind auf den ersten Blick Komplementärbegriffe. Aber bei näherem Zusehen ergibt sich, daß man hier differenzieren muß. Heil gründet in der Zuordnung des heilspendenden Gottes zu jener menschlichen Gemeinschaft, an die er sich gebunden hat; im Falle Israels: Das Heil ist ihm, aber auch nur ihm allein als

[22] G. Fohrer in ThWB VII, 977.

gewiß kommendes durch die Zusage Jahwes verbürgt. Seine Präsenz ist an keine menschlichen Vorleistungen gebunden; das Heil wird bedingungslos gewährt, bleibt dabei auf die Gemeinschaft, der sich der heilspendende Gott zugeordnet hat, beschränkt. Wer über sie hinaus des Heiles teilhaftig werden will, der muß, sofern diese Möglichkeit überhaupt eingeräumt wird, eine bestimmte Vorleistung erbringen: Nur jene Völker werden nach dem Wort des Jahwisten aus Gen. 12 des Segens von Jahwe her teilhaftig, die «Abraham» – sprich Israel – als Segnende begegnen, d. h. an der Einstellung jener Gemeinschaft gegenüber, der Heil bedingungslos zuteil oder zugesagt wird, entscheidet sich, ob jemand über sie hinaus ebenfalls des göttlichen Heils gewürdigt wird.

Im Gegensatz zu solchem bedingungslos gewährten Heil, das durch eine göttliche Aktion ins Werk gesetzt wird, ist das Unheil in der Regel göttliche Reaktion, d. h. Antwort auf menschliche «Vorleistungen», die allerdings negativer Art sind. Freilich hören wir im Alten Testament hie und da von einem unmotivierten Dreinschlagen eines dämonischen Gottes Jahwe, der grundlos Einzelne und Gemeinschaften ins Verderben stürzt. Aber das wird doch deutlich als ein Ausnahmehandeln gekennzeichnet, das wohl die prinzipielle Freiheit Gottes zu handeln, wie er will, zu demonstrieren imstande ist, das aber nicht die Regel darstellt. Wenn Jahwe an Israel oder einzelnen Israeliten unheilvoll wirkt, so wegen eines vorangegangenen schuldhaften Handelns oder Versagens. Dem unheilvollen Tun Gottes geht in der Regel eine menschliche Handlung vorauf, auf die Gott mit Unheil antwortet. Das Unheil ist somit Vergeltung, Strafe. Sehr markant wird dies immer wieder einmal durch jenes לכן gekennzeichnet, das prophetische Feststellung (Scheltwort) mit der drohenden Ankündigung verbindet: Zwischen Schelt- und Drohwort, entsprechend zwischen menschlicher Untat und göttlichem Unheilswirken besteht ein kausales Verhältnis.

Kann so das Unheil nahezu regelmäßig als Strafe, Vergeltung, Sühne bezeichnet werden, so doch nicht analog dazu das Heil als Lohn, Anerkennung, als etwas, das der Mensch durch Vorleistungen verdienen würde. Vielmehr wird das Heil von Gott her gewährt, weil man der Gott zugeordneten Gemeinschaft angehört; es wird gewährt, sofern man nicht durch eine schuldhafte Tat aus dieser Gemeinschaft herausfällt, oder sofern nicht diese Gemeinschaft selbst durch schuldhaftes Handeln des anfänglich angebotenen Heils verlustig geht. Wenn im späteren Israel, etwa von jüngeren Schichten des Deuteronomiums an, vollends im Judentum, Unheil und Heil zu sich völlig entsprechenden Begriffen werden, indem nun dem schon immer als Strafe verstandenen Unheil das
als Lohn begriffene Heil an die Seite rückt, so ist das eine Ent-

wicklung, die durch das anfängliche Verständnis von Heil nicht initiiert ist.

Insofern sind Heil und Unheil allerdings Komplementärbegriffe, als das eine das andere ausschließt, sofern es absolut verstanden wird. Wo jetzt Heil gewährt wird, hat das Unheil jetzt oder künftig keinen Platz; wo Heil zugesagt wird, ist künftiges Unheil ausgeschlossen. Wo andererseits Unheil angedroht wird oder eintritt, ist es mit dem Heil zu Ende. Allerdings werden dann doch auf mannigfache Weise Versuche gemacht, Unheil und Heil zu relativieren, damit das eine neben dem anderen Raum gewinne. Darüber ist hier nicht im einzelnen zu handeln. Ein anderes ist es, wenn Heil verstanden wird als Rettung aus einem an sich verdienten Gericht, wenn also Gott, eigentlich unbegreiflicherweise, das an sich zu erwartende, nach rechtlichen Kategorien beurteilt, völlig einwandfreie Straf- und Unheilshandeln aussetzt oder ihm nicht das letzte Wort gibt, sondern Heil gewährt.

Israel hat solches allerdings nach dem Zeugnis der alttestamentlichen Geschichtsschreiber und Propheten in seiner empirischen Geschichte nicht erfahren; so konnte es nur Gegenstand der Hoffnung sein, einer Hoffnung, die auch nur selten genug aufkam. Auch für den Einzelnen bleibt dieses «amnestierende» Handeln Gottes aufs Ganze gesehen eine Ausnahme.

Der Bestandteil «Heil» unseres Themabegriffs «Heilsgeschichte» ist demnach im Alten Testament eine inhaltlich keineswegs festliegende, vielmehr eine schillernde, schwer faßbare Größe. Wenn wir von Heilsgeschichte mit dem Objekt Israel reden, dann ist mit Heil allerdings auf alle Fälle ein Zustand gemeint, der für die irdische Existenz des Volkes Israel, sei es jetzt, sei es in künftigen Zeiten, maßgebend ist. Dieser Zustand kann aber im einzelnen sehr verschieden beschrieben werden.

Von dem, was das Alte Testament unter «Heil» versteht, mit «Heil» meint, unterscheidet sich das, was das Neue Testament mit dem Begriff σωτηρία verbindet, nicht unerheblich[23]. Vor allem die Beschränkung auf die irdische Existenz, sei es einer Gemeinschaft, sei es des Einzelnen, entfällt; der Blick richtet sich im Gegenteil auf das alle irdischen Begrenzungen sprengende zukünftige Endheil. Dieses Heil besteht einerseits in Rettung vor dem kommenden Zorne Gottes, andererseits in Begabung mit der göttlichen δόξα. Es scheint sich demnach um ein rein zukünftiges Heil zu handeln, das mit dem Eingehen – vor allem des Einzelnen – in das Gottesreich identisch ist. Aber es scheint nur so; in Wirklichkeit ist das Heil zugleich auch präsentische Gabe. Es wird präsent in der Ver-

---

[23] Zum Einzelnen vgl. W. Foerster, σῴζω und σωτηρία im Neuen Testament, ThWB VII, 989–999; dort wird auch auf die innerneutestamentlichen Unterschiede eingegangen.

gebung der Sünden, in der Rechtfertigung des Gottlosen, seiner Versöhnung mit Gott und seiner damit beginnenden Existenz als καινὴ κτίσις. Wer die Botschaft vom Heil in Jesus Christus annimmt, wer glaubt, der ist prinzipiell in den Heilszustand versetzt. Das Heil nach dem Verständnis des Neuen Testaments betrifft demnach allein das Gottesverhältnis des Menschen, bezieht sich nicht auf dessen irdische Verhältnisse, geschweige daß es diese ändern müßte. Des Heiles kann der in Christus Glaubende demnach auch dann gewiß sein, wenn er sein Leben unter widrigsten Umständen verbringt und eines elenden Todes stirbt. Denn ihm ist im Glauben das schon Besitz, was recht eigentlich zukünftiges Gut ist: Heil als Leben bei Gott, Leben in umfassendstem Sinne. Ist das Heil in diesem Sinne futurisches Gut, präsentisch nur im Glauben, dann ist es durchaus möglich, daß der eines so gearteten Heiles teilhaftige Mensch seine irdische Existenz unter dem Vorzeichen des Leides durchlebt, daß ihm dieses Leid, so wie es die theologia crucis aussagt, sogar zum Heile verhilft. Das ist aber etwas ganz anderes, als wenn man die Geschichte «der zerstreuten Herde, der sich bekämpfenden Konfessionen», in der sich Glaube und Unglaube unablässig kreuzen, als Heilsgeschichte bezeichnet[24]. Denn das Leid des einzelnen Glaubenden, mag es auch hie und da mit Schuld zusammenhängen, ist nicht generell durch schuldhaftes Verhalten bedingt, während die Tatsache der sich bekämpfenden Konfessionen, des durch Aberglauben paralysierten Glaubens eindeutig auf das Debetkonto menschlichen Versagens gehört. Mag das Erstere u. U. dem endlichen Heile förderlich sein, so wirkt das Letztere, mag man dabei nun an präsentisches oder futurisches Heil denken, auf jeden Fall hemmend.

Wir fassen zusammen: Eine Geschichte, die ihr Wesen durch das in ihr präsente Heil Gottes empfängt, müßte in der alttestamentlichen Zeit von einem Heile her bestimmt gewesen sein, wie es die **alttestamentlichen Zeugen** aufgefaßt und beschrieben haben, während für die Zeit post Christum crucifixum das neutestamentliche Verständnis von Heil maßgeblich sein müßte. Für eine Heilsgeschichte hingegen, die auf ein Telos «Heil» hinausläuft, würde allein das gelten, was das Neue Testament mit «Heil» meint.

Wir gehen vorerst von dem an erster Stelle beschriebenen Verständnis aus: «Heilsgeschichte» meint, den in der Gottesgemeinschaft den Raum der Geschichte durchmessenden Generationen werde auf diesem Geschichtswege Heil von Gott her zuteil. Die Frage ist: Haben die alttestamentlichen Zeugen, Männer aus dem Volke Israel, die Geschichte dieser ihrer Gemeinschaft, der sie zugehörten, als *Heils*geschichte gesehen?

15    [24] E. Käsemann, Paulinische Perspektiven, 1969, 124.

# II. Israels Geschichte
## als Heilsgeschichte

Hier ist ein Blick auf das frühe Israel wichtig: Was seine Gottheit Jahwe von Fall zu Fall für die ihm anvertraute Gemeinschaft wirkt, ist zunächst nur als ein Heils*geschehen* zu bezeichnen. Der Begriff «Heil» kann dabei auch nicht gerade umfassend genannt werden: Es geht hier in erster Linie um militärischen Erfolg. Immerhin manifestiert sich Heil auf diesem Felde in besonders markanter Weise. Wichtiger aber ist, daß es sich um Heils*geschehen*, nicht aber um Heils*geschichte* handelt. Es kommt nämlich jeweils allein auf das «punktuelle» Ereignis an, das die Gottheit zum Heile der Ihren wirkt, z. B. auf die jeweilige Bedrängnis, aus der sie befreit. Von einer kontinuierlichen Ereignisreihe ist keine Rede. Vollends bleibt völlig außer Betracht, daß irgendein sinngebendes Moment die einzelnen Glieder einer solchen Ereigniskette als innerlich miteinander zusammenhängend erscheinen lassen könnte. Was für das frühe Israel gilt, gilt erst recht für seine Umwelt. Auch wenn der assyrische König im Laufe ein und desselben Feldzugs eine ganze Reihe von Städten erobert, hat der Bericht darüber ausschließlich diesen Feldzug im Blick, nicht aber die Frage, ob und in welcher Weise der Eroberungszug oder gar dessen einzelne Ereignisse die Regierungszeit des Königs mit einem bestimmten Sinn erfüllen, die Geschichte des Reiches zu einer Kette organischer Kausalzusammenhänge machen. Ein Geschichtsbewußtsein im Sinne einer Einsicht in einen Geschehenszusammenhang, der mehr sein könnte als eine lose Abfolge von Ereignissen, nur dadurch miteinander verbunden, daß derselbe Gott sie in heilvoller Weise für die Seinen wirkt, gibt es im Alten Orient nach allem, was wir wissen, nicht. Keines dieser Völker hat die eigene Vergangenheit als eine Kette organisch miteinander zusammenhängender Eingriffe der Gottheit, also im Sinne einer Heils*geschichte* begriffen.

Israel allerdings hat dann das, was wir ein Geschichtsbewußtsein nennen, schon relativ früh entwickelt. Vergangenes Geschehen gilt hier bereits nach recht alten Zeugnissen als kontinuierliche Abfolge von nicht nur äußerlich – im Sinne von Ursache und Wirkung –, sondern auch innerlich miteinander zusammenhängenden

Ereignissen, wobei die Verursachung dieses inneren Zusammenhangs Jahwe zugeschrieben wird. Geschichtsbewußtsein in diesem Sinne ist bereits dort vorhanden, wo man – irgendwann in der Zeit zwischen Seßhaftwerden im Kulturland und früher Königszeit – einzelne ursprünglich selbständige Themen der Überlieferungsgeschichte einander zuordnet, also in ein und denselben Geschehenszusammenhang eingliedert, oder dort, wo man im Anschluß an ein bestimmtes, schon vorgegebenes «Grundthema» (z. B. Ausführung aus Ägypten) ein neues Thema (Hineinführung ins Kulturland) entwickelt, ebenso dort, wo man ein «Brückenthema» (Führung durch die Wüste) mit dem ausgesprochenen Zweck bildet, zwei schon vorhandene Themen miteinander zu verbinden[25]. Dabei darf nicht übersehen werden, daß vergangene Ereignisse zugleich insofern einen sehr engen Bezug zur Gegenwart haben, als in den Vätern und in der «Moseschar» jenes Israel als Gegenüber des geschichtlich handelnden Gottes Jahwe bereits da ist, als dessen Glied sich der über die Vergangenheit nachdenkende Israelit versteht; im Ahnherrn hat Jahwe schon in irgendeiner Weise mit ihm, dem Israeliten, selbst gehandelt. Aber auch von diesem Specimen abgesehen: Wo beispielsweise die einzelnen Ahnherren genealogisch in Beziehung zueinander gesetzt werden, wo alte, in der Wüste spielende Einzelerzählungen oder ins benjaminitische Stammesgebiet gehörende Ätiologien zu Landnahmeberichten zusammengenommen werden, wo vollends Erzväter-, Ägypten-, Wüstenzug- und Landnahmeerzählungen zur Abfolge einer einmaligen, innerlich zusammenhängenden Geschehenskette aneinandergereiht werden, dort geht es nicht mehr nur um Geschehen, sondern um Geschichte.

Kann man diese Geschichte im Sinne der Erzähler eine *Heils*geschichte nennen? Wenn man mit ihnen unter «Heil» den politisch-militärischen Zustand versteht, den die das Kulturland erobernden Israeliten dort anstreben und, wenn man den Erzählungen des Alten Testaments folgt, großenteils erreichen, den sie dabei nicht als Ergebnis eigener Kraftanstrengungen, sondern als Geschenk ihres Gottes verstehen, dann wird man diese Frage keinesfalls verneinen. Wichtiger scheint freilich die Erkenntnis, daß die tradierte Geschichte auf jeden Fall eine Geschichte mit dem Subjekt Gott ist. So verstehen die frühen Erzähler des Alten Testaments die Vor- und Frühgeschichte des eigenen Volkes auf jeden Fall. Nicht die Ahnherren, nicht Mose und die Seinen treten als die eigentlichen Akteure auf; Jahwe ist das Subjekt alles Geschehens, er ist derjenige, der die Geschichte als für die Israeliten

---

[25] Zum Näheren vgl. M. Noth, Überlieferungsgeschichte des Pentateuch, 1948, vor allem §§ 7; 11.

heilvolle Geschichte gestaltet. Das, was wir die Vor- und Frühgeschichte Israels nennen, ist für die alttestamentlichen Zeugen,
die im übrigen in sehr verschiedener Weise davon berichten können, eine Geschichte der Taten Jahwes. Die Menschen, auch wenn
sie sich noch so tatkräftig zeigen, bleiben im Grunde Objekt.

Taten Jahwes müssen nun aber nicht schon darum als für Israel
*heil*volle Taten verstanden werden, weil sie Taten Jahwes sind.
Darum noch einmal die Frage: Sind die die älteste Geschichte
Israels gestaltenden Gottestaten nach Überzeugung der Tradenten
heilvolle Taten? Diese Frage wird man im Sinne der Erzähler bejahen müssen. Der Gott der Väter, der sich erstmals dem Ahnherrn
geoffenbart hatte, war diesem alsbald mit der Zusage von Nach-
kommenschaft und Landbesitz begegnet, hatte ihm also etwas angekündigt, was man als «Heil» bezeichnen kann. Hier bereits zeigt
sich die für israelitisches Denken typische Aufspaltung in präsentisches und futurisches Heil: Der Gott, der durch sein «Ich mit
dir» gegenwärtiges Heil verbürgt, erweist sich durch immer neu
geäußerte Verheißungen, die inhaltlich eine – verglichen mit der
Gegenwart – noch viel heilvollere Zukunft in Aussicht stellen,
als der Gott, der auch der Zukunft mächtig ist. Vor allem dort
wird das Heil als ein in erster Linie zukünftiges in Aussicht gestellt, wo die Erzähler die Einlösung einer einst direkt an die
nomadischen Sippenältesten ergangene Zusage, ihr Gott werde sie
der Segnungen des Kulturlandes teilhaftig werden lassen, durch die
Verklammerung verschiedener Themen in eine nicht mehr von den
Angeredeten selbst, sondern erst von ihren Nachkommen erlebte
Zukunft verlegten. Was Jahwe einst den Vätern in Aussicht gestellt hatte, wurde von ihm herrlich eingelöst durch jene Ereigniskette, die wir die Landnahme der Israeliten nennen.

Der Gott Jahwe vom Sinai, sicher von Hause aus eine Gottheit
ganz anderen Typs, hatte den vielfältigen Forderungen von uner-
bittlicher Strenge, die er an die Seinen stellte, doch einen Indika-
tiv vorangestellt, wie man ihn am prägnantesten in der sog. Bun-
desformel ausgedrückt sehen kann: «Ihr mein Volk, ich euer
Gott». Eben dieser Gott Jahwe hatte sich, so blieb es in Israel,
solange es existierte, in lebendiger Erinnerung, an dem in Ägypten
geknechteten Israel herrlich erwiesen, indem er durch ein wunder-
haftes Geschehen, über das man in allerlei Variationen zu erzäh-
len wußte, sein Volk aus der Sklaverei befreite und die Sklaven-
halter vernichtete.

Die von den alten Überlieferungen berichtete Geschichte läßt sich
demnach in ihrem Sinne durchaus als Heilsgeschichte ansehen.
Und doch – Heilsgeschichte im Vollsinne des Wortes ist das von
ihnen weiterüberlieferte Geschehen doch nicht. Das gilt in einem
zweifachen Sinne: 1. Man weiß von Anfang an, daß die mensch-

lichen «Objekte» des Heilshandelns Jahwes keine Idealgestalten sind, und man stellt sie darum auch nicht als solche vor. Für die Väter muß das genau so behauptet werden wie für Mose und für das Volk, das, aus Ägypten befreit, zum Sinai und danach durch die Wüste zieht. Weil aber Jahwe menschliches Versagen seinem heiligen Willen gegenüber, wie es bei allen Gestalten der Frühgeschichte zu konstatieren ist, nicht ungestraft läßt, weil weiterhin für die göttliche Vergeltung kein anderer Ort, keine andere Zeit zur Verfügung steht als Raum und Zeit dieser Geschichte, darum kommt notwendigerweise von Anfang an in die an sich von Jahwe beabsichtigte «Heilsgeschichte» ein Zug hinein, der ihr eigentlich konträr ist. Auch die frühen Tradenten wissen und bezeugen: Eine ungebrochene Heilsgeschichte im Vollsinne des Wortes hat Israel auch in seinen Ahnen nicht erlebt. 2. Darin, daß das Heil in erster Linie als verheißenes, d. h. als zukünftiges gesehen wird, liegt das Negativum beschlossen, daß die Gegenwart Heil eben noch nicht gewährt, jedenfalls nicht volles Heil. Die Väter haben sich trotz der ihnen wiederholt gemachten Zusage mit dem kargen Dasein in der Steppe bescheiden müssen. Jener Mose, der das verheißene Land nur von ferne schauen, nicht aber betreten darf, entbehrt damit etwas, was für ihn Heil im Vollsinne bedeuten würde. Auch wenn den Israeliten der Josuazeit die Erfüllung der Zusage beschieden gewesen ist, so war doch in dieses erfüllende Geschehen sogleich wiederum ein in die Zukunft weisendes Moment hineingegeben; Heil im Vollsinne des Wortes bleibt damit eine Gabe der Zukunft, – so wie der Wanderer den so prächtigen Regenbogen, der scheinbar ganz dicht vor ihm den Boden berührt, einholen möchte, ihn aber trotz energischen Ausschreitens nie erreicht. Sobald Heil erst in einer Zukunft, und sei diese noch so nahe bevorstehend gedacht, volle Wirklichkeit wird, bedeutet solches für die Gegenwart, daß es in ihr kein vollgültiges Heil gibt. Immerhin konnten sich die Israeliten damit vergleichsweise gut abfinden, da es ihnen als antikem Denken verhafteten Menschen nur wenig auf das gerade lebende Individuum, um so mehr aber auf das übergreifende, der heilvollen Zukunft auf jeden Fall teilhaftig werdende Kollektivum ankam.

Auch die frühesten Bezeugungen einer Vorstellung von «Heilsgeschichte» in Israel können demnach nirgendwo die Verwirklichung von Heil in ungebrochenem Sinne behaupten. Das gilt auch dann, wenn man den Terminus «Heil» dabei nur in seiner politisch-militärischen Relativierung versteht. Um die Wende zum 1. Jahrtausend v. Chr. scheint das allerdings anders zu werden: Das Großreich Davids bedeutet für Israel Heil in einem Ausmaß, daß keine Wünsche mehr offen bleiben. Die sich mit Davids Aufstieg beschäftigende Erzählung hat das, was man eine heilsgeschichtliche Linie nennen könnte, allerdings kaum oder gar nicht ausgebildet; dazu bleibt ihr geschichtlicher Horizont noch zu eng begrenzt. Daß die Erfolge Davids nicht nur für ihn selbst, sondern für die von ihm Regierten Heil bedeuten, mag wohl stillschweigende Voraussetzung des Erzählers sein; aber er fühlt sich nicht veranlaßt, diese Überzeugung expressis verbis laut werden zu lassen. Es mag so gewiß in seinem Sinne sein, wenn man das von ihm erzählte Stück Geschichte der sich unter mannigfachen Schwierigkeiten mehr und mehr abzeichnenden Erfolge Davids als «Heilsgeschichte» bezeichnet, aber gesagt wird solches nirgendwo, und auch hier bricht erst am Ziel der Ereignisse «Heil» im Vollsinne des Wortes herein, während die Vorstufen oft alles andere als heilvoll sind. Das Geschehen ist auf jeden Fall gottgewirkte Geschichte; David verdankt dieses von ihm ins Werk gesetzte Heil nicht seiner eigenen Initiative, Energie, militärischen Begabung, sondern dem machtvollen Wirken Jahwes, des Gottes Israels. Aber mit diesem Aspekt fällt unsere Erzählung nicht aus dem Rahmen der altorientalischen Weise, vom Wirken der Götter zu sprechen, heraus; eher mag umgekehrt die Sprödigkeit des Verfassers dieser Geschichte befremden, der von Jahwes Wirken an und durch David nur in äußerst zurückhaltender Form berichtet.

In ungleich stärker hervortretendem Maße ist eine heilsgeschichtliche Sicht dort erkennbar, wo man sich die Fortexistenz des davidischen Großreichs durch eine dem David selbst gewordene Zusage von Jahwe her für alle Zeiten garantiert weiß: in der sog. Nathan-Weissagung, die dann in dem zweiten großen Geschichtswerk der David-Salomo-Zeit Aufnahme fand, der Thronfolge-Erzählung. Die komplizierte überlieferungsmäßige und literarische Geschichte von 2. Sam. 7, die immer noch einer restlos befriedigenden Erklärung harrt, kann hier auf sich beruhen. So viel ist jedenfalls sicher: Schon zu Lebzeiten Davids hat man von einer göttlichen Zusage an das davidische Königshaus gewußt, wonach diesem Krone und Regierungsgewalt auf immer erhalten bleiben würden. Damit ist gesagt: Jene wundersame Entwicklung, wonach die bis dahin bedeutungslosen Semiten, allen voran die Israeliten, sich als ein dritter politischer Machtblock zwischen Ägypter und Hethiter schoben, in dem von ihnen gewonnenen Raum nicht nur eigenes Herrschaftsrecht, sondern darüber hinaus die Oberhoheit über die Völkerwelt beanspruchten und durchsetzten, würde nicht kurze Episode bleiben; jenes Symbol der Macht der jungen Völker, das davidische Großreich, würde nun für immer ein Faktor bleiben, mit dem die übrige Völkerwelt zu rechnen, ja dem sie sich unterzuordnen haben würde. Auch hier gilt als selbstverständliche Voraussetzung, die nur viel deutlicher zum Ausdruck gebracht wird: Garant dieses Dauerbestandes des davidischen Großreichs war nicht Macht, Durchsetzungsvermögen, Autorität der Vertreter der davidischen Dynastie; es war Jahwe selbst, der David eine Garantie des immerwährenden Bestandes seines Reiches gegeben hatte. Die Heilsgeschichte, die sich durch die Bildung des davidischen Großreichs erstmals in ungebrochener Weise als solche erwiesen hatte, würde nun nicht mehr abreißen; alle weitere Geschichte würde – das war durch die mittels der sog. Nathan-Weissagung gegebene Verheißung Jahwes garantiert – Heilsgeschichte sein.

Sie würde es jedenfalls für diejenigen sein, zu denen der Herrscher selbst zählte: für die Israeliten. Auch für die dem davidischen Großreich eingegliederten Völkerschaften, auch für die Völkerwelt, die zwar außerhalb dieses Reiches blieb, die aber vom Machtstreben und von der Machtentfaltung der Davididen allesamt nicht unberührt bleiben konnte? Diese Frage wird durch die Erzählung von der Nathan-Weissagung nicht gestellt, geschweige beantwortet. Wo sie zur damaligen Zeit auftaucht, wird sie mutmaßlich die folgende Antwort gefunden haben: Der Gott des siegreichen Volkes, der seinem Volk diesen Sieg verlieh, hat damit seine Macht auch über die unterworfenen Völker bewiesen. Sie sind ihm auf Gnade und Ungnade ausgeliefert, müssen ihn darum als ihren Herrn anerkennen. Darin aber erschöpft sich die Beziehung der unterworfenen Völker zu Jahwe; unmittelbar zu diesem in Beziehung treten können sie nicht. Haben sie eine Forderung, eine Bitte an diesen mächtigen Gott, so können sie diese nur durch Vermittlung des Jahwe in besonderer Weise zugehörigen Volkes vor ihn bringen. Sie sind zwar Jahwes Herrschaftsanspruch unterworfen, aber keines von ihnen ist Jahwes Volk. Solches gilt allein für Israel[26].

Ein Schriftsteller von hohem Rang tut dann allerdings doch einen wesentlichen Schritt über diese Sicht hinaus: der Jahwist. Er unternimmt mindestens den Versuch, die Heilsgeschichte ihrer nationalen Begrenztheit auf Israel zu entnehmen und die gesamte Völkergeschichte zu der durch Jahwe gelenkten Heilsgeschichte zu deklarieren. Heilsgeschichte für die Völker ist sie freilich nur, wenn sich die Völker zu «Abraham», d. i. zu Israel positiv stellen. Jahwe wird diejenigen segnen, die «Abraham» segnen; für sie, ohne eine wie auch immer geartete Begrenzung («alle Geschlechter der Erde») wird sich dann «Abraham» als ein Segen erweisen; er wird das allein von Jahwe herkommende Heil auch für die Völker vermitteln. Hier ist das, was unter «Heil» zu verstehen ist, der

---

[26] Vgl. die Art und Weise, in der die Ägypter der Plagenerzählung zufolge mit Jahwe verkehren.

gängigen Sicht gegenüber wesentlich vertieft: Heil für eine Gemeinschaft, ein Kollektiv, besteht nicht mehr nur in politischen und militärischen Erfolgen, sondern Heil ist Manifestation eines Segens umfassenderer Art: Wer im Schutze des Jahwevolkes und damit des davidischen Reiches geborgen leben kann, auch wenn er nicht zum Volke Jahwes gehört, der ist in jeder Hinsicht geborgen. So gewinnt die scheinbare Nationalgeschichte, die zunächst die Universalgeschichte abzulösen schien, durch die Existenz des davidischen Reiches alsbald wieder eine universale Weite, weil Jahwe in diese israelitische Nationalgeschichte einen besonderen, auch für die Völker geltenden Segen hineingelegt hat. Um Israels willen ist nun auch ihre Geschichte auf immer Heilsgeschichte (Gen. 12, 1–3)[27].

[27] Vgl. zu der geistigen Situation in Davids Großreich neben anderen A. Alt, Die Deutung der Weltgeschichte im Alten Testament, ZThK 56, 1959, 129–137.

# III. Israels Geschichte als Unheilsgeschichte; das Entstehen einer Heilseschatologie

## 1. Gegenwärtiges Unheil – zukünftiges Heil

Die geschilderten Verhältnisse, deren Dauerbestand man in Israel erhoffte und erwartete, blieben im völligen Gegensatz zu diesen Hoffnungen auf eine kurze Epoche um und nach 1000 v. Chr. beschränkt. Bald danach geriet Israel, das sich nie in der geschlossenen Einheit eines Nationalstaates zu organisieren wußte, in den Sog der alten und neu aufkommender Weltmächte, und aus diesem Sog vermochte es sich fortan – die kurze Episode Josias ausgenommen – nicht mehr zu befreien. Ein auf die politische und militärische Lage zu beziehender heilvoller Zustand im Vollsinne des Wortes war für das empirische Israel folglich zu keiner Stunde mehr zu konstatieren. Die jeweilige Gegenwart war spätestens vom Tode Salomos an vielmehr von drohenden oder tatsächlichen Widrigkeiten bestimmt, und bald herrschten diese auch für den in die Vergangenheit gerichteten Blick vor. Wollte man trotzdem an dem Satz festhalten, daß Jahwes Gegenwart für Israel Heil bedeute, so war man nunmehr genötigt, von einem längst vergangenen, also abgetanen Heil zu sprechen, oder aber dieses Heil in eine u. U. ziemlich ferne Zukunft zu verlegen. Das Letztere konnte man immerhin einigermaßen leicht, hatte man doch schon bei den älteren Erzählern dann, wenn sie vergangenes Geschehen theologisch beurteilten, beobachtet, daß sie zwischen Zusage und Einlösung der Zusage, zwischen Verheißungswort und Realisierung des verheißenen Gutes zu unterscheiden wußten. Nun, von der Salomozeit an, wird das Leben lediglich unter der Zusage, unter der uneingelösten göttlichen Verheißung zu einem Dauerzustand. Es war dabei nicht einmal ausgemacht, daß dieser Zustand bald enden würde. Nur dies war dem Glaubenden gewiß: Einmal würde Jahwe seine Zusage einlösen; solches war er seinem Wesen, seiner Macht, vor allem seiner Bindung an Israel schuldig. Das Entstehen einer «Theologie der Hoffnung», einer Heilseschatologie, ist auf diese Weise ohne Schwierigkeiten zu erklären, mag das kommende Heil zu verschiedenen Zeiten im einzelnen auch sehr verschieden ausgemalt worden sein. Aus welchen Traditionen sich die Vorstellungen von einer Realisierung des Heils in Jahwes Zukunft nähren mochten – eine in der Forschung strittige Frage –, ist für unsere Überlegungen nicht weiter von Belang. Wichtig ist allein die Eigenart der israelitischen Gottesvorstellung; sie nötigte angesichts der mehr und mehr von «Unheil» bestimmten Gegenwart, Aussagen über eine heilvolle Zukunft und – sofern es sich um die das Ende von Zeit und Geschichte bewirkende Zukunft Jahwes handelte – eine Heilseschatologie auszubilden. Diese tritt zutage in mancherlei Entwürfen, die manchmal bis in die Einzelheiten hinein ausgeführt sind. Einer von ihnen bindet in charakteristischer Weise das kommende Heil an die Regierung eines endzeitlichen Davididen und kommt gelegentlich vor allem bei einigen Propheten zur Sprache.

Es wäre verfehlt, das Aufkommen derartiger Heilsvorstellungen erst für die exilische und nachexilische Zeit anzunehmen. Erwartungen solcher Art bilden sich zwangsweise, sobald die Verhältnisse der Gegenwart nicht mehr mit dem Bilde zusammenstimmen, das man sich auf Grund der bestimmenden Gottesanschauung vom Eintreten Jahwes für die Seinen gemacht hat und macht. Es ist immer noch so gewesen, daß eine «Theologie der Hoffnung» um so mächtiger aufflammt, je größer die Misere der Gegenwart ist. Kein Zweifel: eine solche Misere ist spätestens seit Salomos Tod, von ganz kurzen Episoden abgesehen, in Israel und bei den Juden ständige Gegebenheit gewesen.

Hoffnung auf Heil von Jahwe her ist nicht allein aus dem dem Menschen zutiefst eingegebenen Verlangen nach einem Zustande ohne Leid und Tränen zu erklären. Stärker ins Gewicht fällt die Gottesanschauung, die Gottesgewißheit: Dieser Gott Jahwe, der nach seiner eigenen Erklärung der Gott Israels ist, ist so machtvoll, ist zugleich seinem Volke Israel so sehr zugetan, daß seine uneingeschränkte Gegenwart bei seinem Volke nur Heil für die Seinen bedeuten kann. Ist dieses Heil nicht realisiert, nicht greifbar, nicht konstatierbar, so entsteht Anfechtung. Anfechtung kann bewirken, daß man nach etwaigen Gründen fragt, warum Jahwe trotz seiner Macht, trotz seiner Bereitschaft zur Fürsorge das Heil nicht verwirklicht. Diese Gründe können so sehr ins Gewicht fallen, daß die Frage nach dem Heil von Jahwe her völlig erstickt wird, weil gegenwärtiges oder angedrohtes Unheil als gerechte Vergeltung von Jahwe her für Untreue und Bundesbruch Israels gelten muß. Darum überwiegt bei Gestalten wie den Unheilspropheten das Drohwort, die Unheilsankündigung; das Heilswort wird erstickt oder zu einem mit der Drohung logisch nicht zu vereinbarenden Ausnahmewort degradiert.

Wird die Frage nach solchen Gründen für Jahwes Unheilswirken nicht gestellt, wird sie verdrängt, so wird die an der Misere der

Gegenwart sich entzündende Anfechtung für eine Zukunft Hoffnung gebären, und man kann sich dann der unter allen Umständen kommenden, so oder so heilvollen Zukunft getrösten. Eine derartige Theologie der Hoffnung wird man allerdings auf keinen Fall als eine Theologie der Heilsgeschichte bezeichnen können. Das geht darum nicht, weil der Hoffende die Geschichte der Vergangenheit und Gegenwart auf keinen Fall als eine heilvolle ansehen kann. Das kommende Geschehen aber, das man als heilvoll erhofft und erwartet, fügt sich an jetziges Geschehen nicht bruchlos an; zuvor kommt die große Wende. Außerdem ist Zukünftiges noch nicht «Geschichte». Vollends dort wird es auch niemals zu einem Stück Geschichte werden, wo zukünftiges Heil der Geschichte und ihrem Verlauf ein Ende setzt.

## 2. Totales Unheil

Eine Sicht der eigenen Geschichte als Heilsgeschichte ist in Israel demnach durch den Zwang der Verhältnisse auf ganz wenige Ausnahmen beschränkt gewesen. Und wo sie sich theoretisch vielleicht hätte ausbilden können, da muß alsbald das von Anfang an vorhandene Wissen um Jahwe als den Gott, der rechtlich-sittliche Forderungen erhebt und durchsetzt und im Falle des Versagens dieses schrecklich ahndet, die heilsgeschichtliche Sicht durchkreuzen und unmöglich machen. Heilsgeschichte, wie sie sich auf Jahwes Macht, auf seine Bindung an Israel gesehen hätte verwirklichen können und müssen, hat nie Realität werden können, weil Israel des Heiles nicht würdig war. So wissen und künden es vorab die sog. Unheilspropheten. Auch wenn dieser und jener von ihnen einmal für eine nahe Zukunft die große Wende zum Heile hin erhofft, kann man doch keinen von ihnen als Vertreter einer heilsgeschichtlichen Theologie deklarieren. Andererseits wäre es auch verfehlt, in den Unheilspropheten Repräsentanten einer Theologie der Unheilsgeschichte sehen zu wollen. Denn es ging ihnen überhaupt nicht um jenen kontinuierlichen Geschehenszusammenhang, den wir «Geschichte» nennen; es ging ihnen um das Hier und Heute, um die Ausweglosigkeit der Gegenwart und die Drohung der nahen Zukunft Gottes. Wenn einmal, selten genug, Ereignisse der Vergangenheit in den Blick kommen, haben diese so etwas wie exemplarischen Charakter (vgl. z. B. Am. 4, 6–12)[28]. Auf den Geschehenszusammenhang innerhalb der genannten Ereignisse oder zwischen dem Damals und Jetzt im Sinne eines Kontinuums kommt es aber gerade nicht an.

[28] Zu diesem Abschnitt und seinem Verständnis vgl. neuestens W. Rudolph, Amos 4, 6–13, in: Wort – Gebot – Glaube, Walther Eichrodt zum 80. Geburtstag, 1970, 27–38.

Anders ist es bei den sog. Deuteronomisten, deren Denkweise freilich nicht möglich wäre ohne das vorangehende Verkündigungswirken der Unheilspropheten. Einige dieser Deuteronomisten haben sich jedenfalls als Redaktoren älterer Geschichtsdarstellungen betätigt, einer aus ihnen möglicherweise als ein die anderen merklich überragender Autor eines selbständigen, wenn auch aus vielerlei Einzelquellen zusammengesetzten Geschichtswerks. In diesen Deuteronomisten treffen wir erstmals auf Vertreter einer ausgesprochenen Theologie der Unheilsgeschichte. In ihrer Theologie spielt das Vergeltungsdenken eine hervorragende Rolle; man kann sagen: Es hat eine Schlüsselstellung inne. Mit Hilfe dieses Satzes vom vergeltenden Handeln Gottes können sie die gesamte bisherige Geschichte ihres Volkes auf eine sehr rationale Weise als Unheilsgeschichte begreifen. Die immer erneut festzustellende, sich auf mannigfache Art – vor allem in Höhenkult und Götzendienst – äußernde Schuld Israels, vorab Schuld seiner Regenten, erzwingt göttliche Vergeltungsschläge. Diese aber können sich nicht anders als in Geschichtsgerichten vollziehen. Kamen die Propheten durch etwas, was wir Intuition nennen könnten, zu ihren Unheilsdrohungen – hinzu gesellte sich selbstverständlich ihr sehr wacher Blick für das viele, was im argen lag –, so ist für die Deuteronomisten die Unheilsgeschichte des in zwei Teile gespaltenen Volkes Israel Ausgangspunkt der Überlegungen. Diese kreisen dann um die Frage: Wodurch ist diese Geschichte, die von Jahwes wegen an sich Heilsgeschichte sein müßte, faktisch zur Unheilsgeschichte geworden? Die Antwort, die zu geben sich die Deuteronomisten genötigt sehen, stellt sie dann allerdings in die Nähe der Unheilspropheten. Das aber, was wenigstens hie und da bei den Propheten da ist, nämlich die Hoffnung auf eine heilseschatologische Wende, fehlt bei den Deuteronomisten völlig. Heil erwarten sie offensichtlich nicht mehr, schon gar nicht als Ergebnis von geschichtsimmanenten Ereignissen. Man kann diese Männer, denen wir ein gut Teil der alttestamentlichen Geschichtsschreibung in ihrer Jetztform verdanken, mit allen möglichen Epitheta versehen; eines sind sie auf keinen Fall: Theologen der Heilsgeschichte.

Dies Bild wird auch nicht durch die wenigen Geschichtspsalmen verändert, die uns erhalten sind. Manche kann man geradezu in den düsteren Chor der Deuteronomisten eingliedern, wie den Psalm 106. Wo aber tatsächlich so etwas wie eine heilsgeschichtliche Abfolge von Ereignissen erscheint (Psalm 105), da ist diese Aufreihung nur für die Väter- und anfängliche Mosezeit ausführlich. Über die Landnahme wird nur noch sehr summarisch in einem Verse berichtet; dann bricht diese Rezitation einer heilvollen Ereigniskette ab. Und wenn früherer Ereignisse wie dessen, was durch und an David geschah, als heilsgeschichtlicher Taten Gottes zu gedenken ist, so steht für einen, dem das Versagen des Jahwevolkes nicht so lastend auf Herz und Gewissen liegt wie den Propheten oder den Deuteronomisten, um so dringlicher die Frage im Vordergrund: Warum ist diese Heilsgeschichte Episode geblieben; warum war alles Folgende bis heute Unheilsgeschichte (Psalm 89)? Man wird keinen Psalm nennen können, dessen Verfasser in der Lage ist, die Geschichte seines Volkes bis hin zur Gegenwart als Heilsgeschichte zu begreifen. Wer hier an Psalm 18 erinnern möchte, möge bedenken, daß hier wohl von Heilstaten Jahwes binnen eines kurzen Zeitraums, nicht aber von Heilsgeschichte die Rede ist.

Bei einer Geschichtssicht sozusagen mit negativem Vorzeichen bleibt es auch in der nachexilischen Zeit. Das Wissen um die eigene Schuld, vor allem aber um die Schuld der Väter, durch die so viel Unheil heraufbeschworen wurde, wird eher noch stärker, spricht sich jedenfalls in noch deutlicherer Weise aus. Vertreter einer heilsgeschichtlichen Theologie sind in der nachexilischen jüdischen Gemeinde nicht zu entdecken. Als solche kann man auch nicht Repräsentanten messianischer Strömungen ansprechen, wie sie in nachexilischer Zeit wahrscheinlich immer wieder einmal bestanden haben; wer auf die große Wende der Zukunft hofft, tut das gerade darum, weil die vergangene und gegenwärtige Geschichte nicht Heilsgeschichte ist. Aber auch der ganz und gar unmessianische, wenn nicht vielleicht gar antimessianische[29] Chronist ist in gar keiner Weise Vertreter einer wie auch immer gearteten heilsgeschichtlichen Theologie. Die Geschichte des Südreiches wird hier zwar zu einer Art Idealgeschichte, teilweise mit Hilfe von massiven Geschichtsfälschungen. Aber diese Geschichte, wie sie sich als Ergebnis der chronistischen Darstellung bietet, ist keine Heilsgeschichte. Sie wird auch gar nicht als Kontinuum begriffen; von ihr ist nur in Auszügen die Rede. Es geht dem Chronisten nämlich um «die Entstehungsgeschichte der nachexilischen Gemeinde, in der er lebte»[30]. Diese Geschichte wird aber nur in jenen Auszügen dargestellt, die für den «Nachweis der Legitimität des davidischen Königtums und des Jerusalemer Tempels als der echten Jahwekultstätte»[31] wichtig waren. Diese Geschichte nun, soweit sie dem Chronisten überhaupt darstellenswert erschien, war durchaus nicht frei von Schuld; in ihr war darum auch das Vergeltungshandeln Jahwes wirksam. Und an einer Stelle bekommt

[29] Dazu vgl. U. Kellermann, Nehemia. Quellen, Überlieferung und Geschichte. BZAW 102, 1967, 96 f; 179–182.
[30] M. Noth, Überlieferungsgeschichtliche Studien (I, 1943), ²1957, 172.
[31] Ebd. 174; ab «Legitimität» gesperrt.

sogar der Satan einen Platz als mittelbarer Wirker bestimmter Geschichtsereignisse (1. Chr. 21). Was der Chronist darstellt, ist eine Dynastie- und eine Kult-, aber keine Heilsgeschichte.

Dem Blick der alttestamentlichen Zeugen stellt sich die Geschichte des eigenen Volkes, soweit diese überhaupt als ein Kontinuum ins Blickfeld kommt, somit überwiegend als Unheilsgeschichte dar. Der Grund dafür liegt nicht etwa in einem zwangsweisen Sichabfinden mit der relativen Machtlosigkeit Jahwes, verglichen mit der Macht der den Umweltvölkern zugeordneten Gottheiten – ganz im Gegenteil! Was für diese befremdliche, wenn auch zugegebenermaßen realistische Sicht der eigenen Geschichte den Ausschlag gibt, ist die ethische Kategorie, die mit ins Spiel kommt: Israel hat den Forderungen seines Gottes gegenüber auf mannigfache Weise und immer erneut versagt. Es läßt auch keine Anzeichen einer radikalen Umkehr erkennen. Darum hat Jahwe unter Annullierung, mindestens unter Aussetzung seiner Verheißung, eine an sich mögliche, ja zu erwartende Heilsgeschichte in eine Unheilsgeschichte pervertiert.

# IV. Die Geschichte Israels als «Heilsgeschichte» in der Sicht des Neuen Testaments

Ein an den christlichen Glauben oder irgendeine Religion sonst nicht gebundener Religionswissenschaftler ist durchaus in der Lage, das bisher Festgestellte aufzunehmen. Handelt es sich doch beim Bisherigen um Beobachtungen religionsgeschichtlicher Art, nicht aber um theologische Thesen. Es ist nach dem bis zu diesem Punkt Überlegten deutlich: Israel selbst hat seine eigene Geschichte durchaus als eine Geschichte gesehen, deren Beweger, deren erstes und einziges Subjekt sein Gott Jahwe selbst war. Aber es hat sich – abgesehen von ganz vereinzelten, auf die Zeit des Großreichs Davids beschränkten Ausnahmen – nicht in der Lage gesehen, diese Geschichte als Heilsgeschichte zu fassen. Viel eher verstärkte sich auf Grund der ständig neu zu machenden Erfahrungen der Eindruck, daß es eine Unheilsgeschichte sei.

Auch die christliche Theologie hat es nicht vermocht, diese Geschichte des Volkes Israel, für sich genommen, zur Heilsgeschichte zu deklarieren. Wenn sie mit diesem Prädikat versehen worden ist, dann deswegen, weil man sie unlöslich verbunden sah mit dem sog. zentralen Heilsereignis: dem Kommen, Wirken, Leiden, Sterben und Auferstehen Jesu Christi. Die vom Alten Testament bezeugte Geschichte erweist sich danach nur als ein Vorspiel, oder besser: als erster Akt jener Heilsgeschichte, die ihren Höhepunkt in den mit Person und Werk Jesu Christi verbundenen sog. Heilstatsachen erreicht. Ob Höhepunkt oder auch Ziel, darüber war man verschiedener Ansicht. Sieht der Christ sie ihr Ziel in einer eschatologischen Zukunft, am Jüngsten Tage erreichen, so gilt ihm die Geschichte der wahren Kirche, der Gemeinschaft der Glaubenden, als Weiterführung dieser Heilsgeschichte, bis sie jenes auch für den Christen noch in der Zukunft liegende Ziel erreicht. Um des Höhepunktes und des Zieles willen, nicht aber um einzelner sonst in ihrem Verlauf zu konstatierender Ereignisse willen heißt in dieser Sicht auch der alttestamentliche Teil der sich von der Schöpfung bis zur Vollendung schwingenden Gottesgeschichte Heilsgeschichte. Das heißt: Hier geht es, soweit die Zeit des Alten Testaments in Betracht kommt, nicht um gegenwärtiges, sondern um futurisches Heil. Aus diesem Grunde hat die Tatsache, daß dieser alttestamentliche Teil, für sich betrachtet, von Heil herzlich wenig erkennen läßt, den christlichen Theologen meist nicht angefochten. Im Gegenteil: Weil über ihm so viel Finsternis liegt, weil das Unheil sich hier gleichsam zusammenzuballen scheint, erscheint das Licht, das in der Epiphanie Jesu Christi aufstrahlt, um so heller, das in ihm verbürgte Heil als die große Wende der Zeiten, gemäß dem als Weissagung verstandenen Tritojesajawort (wobei Israels als des Gottesvolkes Konturen freilich sich in der allgemeinen Völkergeschichte auflösen): «Finsternis bedeckt die Erde und Dunkel die Völker, aber über dir strahlt Jahwe wie eine Sonne auf, und seine Herrschaft wird sichtbar über dir» (Jes. 60, 2).

Dieses vor allem in den christlichen Gemeinden sehr geläufige Bild von einer kontinuierlichen gottgewirkten Heilsgeschichte zwischen Schöpfung und Vollendung mit dem Höhepunkt Jesus Christus ist, wie man allgemein meint, bereits durch das Neue Testament vorgezeichnet. Es ergibt sich aber bei näherem Zusehen, daß die neutestamentliche Basis für die Idee der Heilsgeschichte sehr viel schmaler ist, als man gemeinhin denkt.

Paulus sieht nur an wenigen Stellen einen Zusammenhang zwischen Geschehnissen, die das Israel ante Christum crucifixum betroffen haben, und der Rechtfertigung aus Glauben, unlöslich mit dem Christus crucifixus verbunden; diese bedeutet für den der Rechtfertigung teilhaftig Werdenden das Heil schlechthin. Die hauptsächlich in Betracht kommenden Abschnitte (Gal. 3 f.; Röm. 4; 5, 12 ff.; 9–11) lassen sich, was die ihnen zugrundeliegenden oder in ihnen zutage tretenden theologischen Anschauungen betrifft, kaum auf einen Nenner bringen[32]. Wo Geschehen aus alttestamentlicher Zeit und das Heilsereignis, das Christus heißt, zueinander in Beziehung gesetzt werden, geschieht das auf sehr verschiedene Weise; nicht einmal die Gedankenfolge ein und desselben Abschnittes gibt hier ein geschlossenes Bild ab[33]. Ein Negativum allerdings ist allen genannten Abschnitten gemeinsam: Nirgendwo geht der Apostel von einer Kontinuität im Sinne einer heilsgeschichtlichen Entwicklung aus; überhaupt ist nirgendwo

---

[32] Zum Näheren vgl. Chr. Dietzfelbinger, Heilsgeschichte bei Paulus? Theologische Existenz heute 126, 1965.

[33] Beispielhaft sei auf Römer 4 hingewiesen. Zur Diskussion über dieses Kapitel vgl. G. Klein, Römer 4 und die Idee der Heilsgeschichte, in: Rekonstruktion und Interpretation. Beiträge zur evangelischen Theologie 50, 1969, 145–169 ( = EvTh 23, 1963, 424–447); U. Wilckens, Zu Römer 3, 21–4, 25. Antwort an G. Klein. EvTh 24, 1964, 586–610; G. Klein, Exegetische Probleme in Römer 3, 21–4, 25. Antwort an U. Wilckens, in: Rekonstruktion und Interpretation, 1969, 170–179 ( = EvTh 24, 1964, 676–683); E. Käsemann, Der Glaube Abrahams in Röm 4, in: Paulinische Perspektiven, 1969, 140–177.

von einem kontinuierlichen Geschehenszusammenhang die Rede. Es gibt wohl eine nur dem Glauben erkennbare Kontinuität beispielsweise zwischen Abraham und dem Glaubenden von heute[34], aber hier handelt es sich eben nicht um einen geschichtlichen Zusammenhang[35].

Wenn Paulus in 1. Kor. 10 und an einigen anderen Stellen das Verfahren einer «typologisch gesteuerten Allegorese»[36] anwendet, so scheint der Apostel hier nun doch an einen die Geschichtsereignisse umgreifenden Plan Gottes zu denken, in dem Gottes Handeln auf das Heil hin die entscheidende Rolle spielt. Gottes Heilshandeln in Christus erscheint so als Zielpunkt eines göttlichen Heilsplans[37]. Aber dieser «Plan» wird urplötzlich an der einen entscheidenden Stelle, die Christus heißt, realisiert. Es wird also nicht in dem Sinne planmäßig auf dieses Ziel hingearbeitet, damit seiner Realisierung der Weg bereitet werde. Die typologisch zu verstehenden «Stationen» des Weges deuten je für sich, unabhängig voneinander, auf die Realisierung in Christus hin. Aber wenn eine von solchen Stationen dem Christusereignis zeitlich auch näher liegen mag als eine andere, ist sie ihm deswegen doch nicht sachlich näher. Die Geschichte des göttlichen Heilsplans könnte nur dann als Heilsgeschichte bezeichnet werden, wenn sie die durchgängige Realisierungsgeschichte des göttlichen Heils wäre. Das ist sie aber nach Paulus gerade nicht; erst als die Zeit «erfüllt» war, sandte Gott seinen Sohn (Gal. 4, 4) und setzte damit ἐφάπαξ ein Neues. Außerdem wird auch hier die Brücke zum Neuen Testament hin nicht durch einen wie auch immer gearteten Geschehenszusammenhang gebildet. Nicht nur, daß alle Zwischenglieder zwischen Wüstenzug der Väter und Zeitgenossen des Apostels fehlen; auch das schlägt entscheidend gegen die heilsgeschichtliche Sicht zu Buche, daß das für die von Paulus angeredeten Entscheidende vielmehr die Tatsache des ἐγράφη ist – nicht daß etwas *geschehen*, sondern daß das Geschriebene «uns zur Warnung *geschrieben*» ist (1. Kor. 10, 11), ist entscheidend.

Von den Evangelisten lassen Markus, Matthäus und Johannes

[34] Dazu vgl. G. Klein, Römer 4 und die Idee der Heilsgeschichte, in: Rekonstruktion und Interpretation, 1969, 162 ( = EvTh 23, 1963, 440).

[35] G. Klein kann von dieser Feststellung her in seiner Analyse von Römer 4 zu der scharf formulierten These kommen, Paulus beabsichtige mit seiner Berufung auf Abraham als auf eine dem Christusgeschehen geschichtlich vorgeordnete Gestalt nicht die Konstruktion, sondern geradezu die Destruktion einer heilsgeschichtlichen Entwicklung und befreie den Glaubenden so von der Macht der Geschichte, ebd. 164 ( = Ev Th 23, 1963, 441).

[36] W. Marxsen, Einleitung in das Neue Testament, 1963, 30 f.

[37] Vgl. L. Goppelt, Apokalyptik und Typologie bei Paulus, ThLZ 89, 1964, 332.

denjenigen, der für seine heilsgeschichtliche Theorie eine Bestätigung sucht, von vornherein im Stich. Aber auch eine Berufung auf Lukas, der als einziger eine kontinuierliche Geschichte im Blickfeld hat, erweist sich rasch als fragwürdig. Denn von den Epochen, in die diese Geschichte nach der lukanischen Konzeption aufzugliedern ist, liegt auf jener, an der der das Alte Testament einbeziehende Heilsgeschichtler besonders interessiert ist, nämlich die auf den Höhepunkt Jesus Christus zulaufende Periode der Heilsgeschichte, überhaupt kein Gewicht. Einen Geschehenszusammenhang zwischen alttestamentlicher und urchristlicher Zeit behauptet Lukas hauptsächlich, freilich nicht ausschließlich[38], mit Hilfe des Schemas von Weissagung und Erfüllung, bei dem der kontinuierliche Ablauf von Geschichte überhaupt keine Rolle spielt. Denn hier springt der Blick von der Weissagung, deren genauer geschichtlicher Ort prinzipiell gleichgültig ist, sogleich auf die – angebliche – Erfüllung über, ohne daß die dazwischenliegenden Ereignisse in irgendeiner Weise Berücksichtigung finden. Einzelereignisse der auf Jesus Christus zulaufenden Geschichte bleiben völlig im Nebel halbvergessener Vergangenheit; es kommt Lukas nur auf den Hinweis an, daß der Weg Jesu zum Kreuz und seine Auferstehung einem göttlichen Plane gemäß geschehen seien, und in diesen Plan habe Gott diesem und jenem weissagenden Zeugen des Alten Testaments Einblick gewährt.

Auch die Reden im ersten Teil der Apostelgeschichte leisten trotz der Fülle ihrer Bezugnahmen auf das Alte Testament nicht das, was der heilsgeschichtlich orientierte Theologe von ihnen erwarten möchte. Die Pfingstrede des Petrus reflektiert lediglich auf das weissagende Wort von der Geistausgießung in Joel 3 und auf ein als Weissagung verstandenes, dem David zugeschriebenes Psalmwort. An einer Stelle ist von einem «festgesetzten Ratschluß und der Vorbestimmung Gottes» die Rede (2, 23), womit aber punktuell auf die Preisgabe Jesu an die Juden gezielt ist; nirgendwo kommt ein heilsgeschichtlicher Geschehenszusammenhang in den Blick. Ebensowenig faßt die Petrusrede alttestamentliche Geschehnisse im Sinne einer Geschichte ins Auge; sie sieht im Alten Testament nur einige Weissagende wirksam, sieht die vom Apostel Angeredeten als jetzt dem Sinaibund Inkorporierte an und nennt den verkündigten Gott den Gott Abrahams, Isaaks und Jakobs – auch dies kaum eine tragfähige Basis für die These von einem Kontinuum «Heilsgeschichte». Der ausführlichste Rückblick auf die Zeit des Alten Testaments findet sich in der Stephanusrede. Anfangs wird hier in der Tat eine bei einigen Einzelheiten

[38] Vgl. M. Rese, Alttestamentliche Motive in der Christologie des Lukas, Studien zum Neuen Testament 1, 1969, 140 ff.

mehr oder weniger lange verweilende Geschichtsdarstellung gegeben, die sogar ausgesprochen ausführlich auf die Mosezeit eingeht, um dann aber, wo das Thema «Stiftshütte» erreicht ist,
überraschend auf Salomos Tempelbau überzuspringen und danach
abzubrechen – alles in allem eine sehr merkwürdige Art, ein Geschichtskontinuum zu beschreiben. Außerdem stellt das Berichtete
nun wirklich keine «Heilsgeschichte» dar; die aus diesem Geschichtsverlauf letzten Endes Hervorgegangenen, nämlich die von
Stephanus Angeredeten, werden als «Halsstarrige und an Herz
und Ohren Unbeschnittene» tituliert (7, 51) und zugleich als
solche bezeichnet, die ihren Vätern aufs Haar gleichen.

Auch die Deuteropaulinen wissen nichts von einem heilsgeschichtlichen Kontinuum. Das gilt ebenso vom Hebräerbrief. Er bindet
zwar die Episoden des Mose, des Melchisedek und das Phänomen
des alttestamentlichen Priestertums typologisch an Christus heran,
aber unter Übergehung anderer Ereignisse und Phänomene. Auf
ein Kontinuum weist einzig die Tatsache, daß «Gott vorzeiten
vielfältig und auf vielerlei Weise durch die Propheten zu den
Vätern geredet hat» (1, 1), während er jetzt, am Ende der Tage,
zu uns durch den Sohn redet. Aber eine Geschichte der Worte
Gottes zu den Vätern, durch die Propheten vermittelt, bei der
offen bleibt, wie diese Worte geartet sind, wird man wohl kaum
als Heilsgeschichte bezeichnen können, vor allem dann, wenn man
die dem Verfasser des Hebräerbriefs kaum verborgen gebliebene
Tatsache in Rechnung stellt, daß gerade bei den Propheten vor-
zugsweise Unheilsworte zu finden sind.

So läßt sich das Postulat einer kontinuierlichen Heilsgeschichte,
durch Gott nach einem bestimmten Plan ins Werk gesetzt und
über die alttestamentlichen Zeiten hin bis zum «Telos» Jesus
Christus durchgeführt, vom Neuen Testament her nicht zurei-
chend begründen.

# V. Der Charakter einer hypothetischen Heilsgeschichte ante Christum

Die sogenannte Heilsgeschichte ante Christum bleibt vom exegetischen Befund des Alten Testamentes her ein fragwürdiger Begriff. Ebenso erweist sich die neutestamentliche Basis für eine alttestamentliche Heilsgeschichte mit dem Telos Christus, wie im vorangehenden Abschnitt gezeigt wurde, als wesentlich schmaler, als man sich gemeinhin vorstellt.

Trotzdem ist es nicht schon darum notwendig, dem Begriff «Heilsgeschichte ante Christum crucifixum» den Abschied zu geben und das, was inhaltlich mit diesem Terminus verbunden wird, von vornherein unbeachtet zu lassen. Es könnte ja sein, daß theologische Gründe es ungeachtet des sich als ziemlich fragwürdig erweisenden biblischen Fundaments als geraten oder geboten erscheinen lassen, bei dem Postulat einer Heilsgeschichte zu bleiben, in der Jesus Christus die «Mitte der Zeit» bildet, während die alttestamentliche Zeit eine erste, auf diese Mitte der Zeit zulaufende Epoche darstellen würde.

Allerdings tun sich dann, wenn man diesen vorchristlichen Teil einer sogenannten Heilsgeschichte nun für sich einer genaueren theologischen Reflexion unterzieht, alsbald neue Schwierigkeiten auf. Sogleich ist nämlich die Frage zu stellen: Wem – genau besehen – kommt hier das Prädikat «Heilsgeschichte» zu? Zur Wahl stünde dreierlei: 1. die Geschichte Israels, wie sie nach unseren wissenschaftlichen Erkenntnissen realiter verlief, 2. jene Geschichte des alttestamentlichen Gottesvolkes, wie sie nach dem Glaubenszeugnis der biblischen Erzähler über die Bühne ging, oder 3. eine Heilsgeschichte, die auf irgendeine Weise «in, mit und unter» der realen Geschichte von Gott ins Werk gesetzt ist. In unseren darüber anzustellenden Überlegungen sei vorerst vom spezifischen Gehalt der Vokabel «Heil» im Begriff «Heilsgeschichte» abgesehen und diese zunächst mit einer qualitativ herausgehobenen «Gottesgeschichte»[39] gleichgesetzt.

---

[39] Dieser Terminus will besagen: Es handelt sich um eine Geschichte, deren Subjekt in einem besonderen Sinne Gott ist. Er ist es recht eigentlich, der diese Geschichte lenkt, vorwärtstreibt, nach seinem besonderen Plane einem von ihm gesteckten Ziele entgegenführt.

1. Die Etikettierung der Geschichte Israels, wie sie zwischen der Existenz jener nomadischen Sippen, die wir als Urzelle Israels ansehen, in Steppe und Wüste einerseits, der Besetzung der palästinischen Landschaft durch die Römer andererseits realiter verlief, als einer solchen qualitativ herausgehobenen Geschichte, als erster Periode jener Gottesgeschichte, die in Christus Mitte und Ziel gefunden hat, könnte sich aus folgenden Gründen empfehlen: Die Israeliten selbst haben sich vor allen anderen völkischen Gemeinschaften dadurch ausgezeichnet gewußt, daß sie Jahwe, dem Gotte Himmels und der Erden, dem Schöpfer des Alls und dem Herrn von Natur- und Geschichtsgeschehen auf der ganzen Erde, in einer besonderen, ja einzigartigen Weise zugeordnet waren: Jahwe war ihr Gott, Israel war Jahwes Volk. Dementsprechend sah Israel die eigene Geschichte durchwirkt von Aktionen und Reaktionen des einen, lebendigen Gottes, und dies in einer Weise, wie sie um der Bundesordnung Jahwe = Israel willen für andere Völker nicht gelten konnte. Die christliche Theologie hat – von wenigen Ausnahmen abgesehen – diese Selbsteinschätzung Israels für richtig gehalten und aus dem Faktum der in vorchristliche Zeit gehörende Erwählung Israels die Konsequenz gezogen: Die Geschichte dieses Volkes, so sehr sie als politische, militärische, kulturelle, geistige, religiöse Geschichte Analogien zur Geschichte anderer antiker Völker aufweist, hat unter einer providentia specialis vel specialissima Dei gestanden, während für Geschichtsereignisse sonst allenfalls eine providentia generalis behauptet werden muß – wenn es denn richtig ist, daß nichts ohne den Willen Gottes geschieht.

Es fragt sich aber, ob diese Konsequenz unumgänglich ist, auch wenn man die Voraussetzung, Israel sei Gott in einmaliger Weise zugeordnet gewesen, bejaht. Gewiß haben die alttestamentlichen Erzähler durchweg Jahwe als den Wirker und Lenker der eigenen Geschicke gesehen. Aber damit ist noch nicht gesagt, daß die Geschichte Israels unter einer providentia Dei specialissima stand, – wie denn die ganze Unterscheidung zwischen einer providentia generalis und specialis(sima) theologisch höchst fragwürdig ist. Außerdem sind hier Anschauungen, wie sie im Alten Testament selbst anzutreffen sind, in die Waagschale zu werfen: Die Unzulänglichkeit des menschlichen Partners, das ständige Versagen Israels, wie es etwa die Propheten ihrem Volke immer wieder vor-

Darüber, ob dieses besondere Geschichtshandeln Gottes für die Betroffenen sich heil- oder unheilvoll auswirkt, sagt der Begriff als solcher zunächst nichts aus. Aus dieser Begriffsbestimmung ergibt sich: Heilsgeschichte ist in jedem Falle Gottesgeschichte, aber nicht jede Gottesgeschichte ist Heilsgeschichte. «Gottesgeschichte» ist – verglichen mit «Heilsgeschichte» – der weitere Begriff.

werfen müssen, veranlaßt alsbald Gott, sich um das Geschehen mit diesem Volke innerhalb der Völkerwelt nicht mehr zu kümmern. Oder die Propheten erkennen: die von ihnen nicht geleugnete Erwählung Israels gibt diesem keinerlei Anspruch auf eine besondere «Gottesgeschichte», sondern ruft es höchstens zu einer besonderen Verantwortung (Am. 3, 2).

Die einmalige Zuordnung Israels zu Jahwe, dem Weltenschöpfer und -lenker muß sich demnach nicht so auswirken, daß die Geschichte Israels als eines erwählten Volkes von einer anderen, höheren Qualität gewesen wäre als die Geschichte anderer Völker. Der glaubende Mensch rechnet wohl damit, daß das Erwähltsein sich in einzelnen rettenden oder vernichtenden Eingriffen Gottes in das Geschehen innerhalb dieses Volkes manifestieren kann. Die Tatsache des Erwähltseins kann und soll sich weiterhin in einer besonderen Glaubenshaltung, Frömmigkeit, in einem besonderen Ethos ausdrücken. Aber es ist durch nichts gefordert, daß sich die Erwählung in einer Kette kontinuierlicher gottgewirkter Ereignisse niederschlägt; die Tatsache der Erwählung Israels fordert nicht, daß man seine Geschichte als eine qualitativ einzigartige ansieht. Wenn Gott mit Menschen in besonderer Weise, wie sie den anderen Menschen nicht widerfährt, umgeht, so drückt sich das in einem *Geschehen* aus, muß aber nicht in einer *Geschichte* seinen Niederschlag finden.

Es gibt weitere Schwierigkeiten: Wo sollte diese Geschichte Israels, als eine einzigartige verstanden, beginnen? Die Vor- und Frühgeschichte dieses Volkes liegt immer noch in einem starken, teilweise undurchdringlichen Dunkel. Seine Verbindung und Verkettung mit anderen Gemeinschaften ist stärker, als der fromme Vertreter einer heilsgeschichtlichen Sicht wahrhaben möchte. Was «genuin israelitisch», was an Israels Glaubensaussagen Importgut ist, ist strittig; ja es bleibt fraglich, ob diese Unterscheidung überhaupt legitim ist. Auch während jenes Abschnitts seiner Geschichte, den wir genau kennen, existiert Israel niemals isoliert von anderen Gemeinschaften; wie will man da im Ernst die Behauptung durchhalten, diese Geschichte als diejenige von Erwählten sei von anderer Qualität als die der übrigen Völker?

Die Geschichte, die hier zur Debatte steht, «zerbröselt» außerdem in nachexilischer Zeit gewissermaßen in viele einzelne Strömungen, die sehr unterschiedlicher Art sind, die auch teilweise ins Halbdunkel einer nur unzureichend überlieferten Geschichte hineintauchen. Das, was man als «offizielle Religion» der nachexilischen Gemeinde bezeichnen könnte, ist nur eine von vielen, teilweise sehr gegensätzlichen Strömungen. Die Frage, wo denn hier die «Gottesgeschichte» oder gar die «Heilsgeschichte» verlaufen soll, bleibt unbeantwortbar. Die Mitarbeiter des Sammelbandes «Offenbarung als Geschichte» und ihnen nahestehende Theologen haben in dieser Aporie die Apokalyptik als Brückenglied zwischen alt- und neutestamentlicher Geschichte deklariert[40]. Warum aus den vielerlei Strömungen, über die alle wir relativ schlecht unterrichtet sind, gerade die Apokalyptik in Betracht kommen soll, andere aber nicht, kann theologisch nicht einsichtig gemacht werden.

Man kann demnach von der Geschichte Israels in keinem Sinne behaupten, sie sei von einer von der Geschichte jedes anderen Volkes unterschiedenen besonderen Qualität gewesen.

2. Könnte nicht aber jener Geschichtsverlauf, wie ihn die alt- und neutestamentlichen Zeugen von den Anfängen der Menschheit an bis hin in ihre eigenen Tage sehen und voraussetzen, die Qualität einer solchen «Gottesgeschichte» haben? Wenn man dies bejahen könnte, wäre überdies der Kanonizität des Alten Testaments, seinem Charakter als heiliger Schrift Rechnung getragen. Hier käme also die von dem Schöpfergott begonnene, kraft seines erhaltenden Wirkens fortgesetzte Geschichte vom ersten Menschenpaar an über die Ereignisse der «Urgeschichte», die Erwählung Abrahams, die Geschichte der Väter, die Ausführung aus Ägypten und Hineinführung ins Kulturland in Betracht, jene Geschichte also, wie sie das Alte Testament allenthalben voraussetzt und vielerorts darstellt. Jene Geschichte wäre gemeint, in die auch das Mosegesetz und das Wirken der Propheten hineingehören, eine Geschichte, die sich dann über Exilszeit und nachexilische Periode fortsetzt – aber bis zu welchem Schlußpunkt? Hier muß entweder das Telos Jesus Christus als Zielpunkt einer so zu beschreibenden Gottesgeschichte eintreten, oder sie wird als noch offen, als einem noch ausstehenden Ziel entgegeneilend deklariert; man kann beide Aspekte auch miteinander verbinden. Ist dies alles jene Geschichte von besonderer Qualität – wobei es hier wiederum nur auf ihre alttestamentliche, erste Stufe ankommt –, dann die Geschichte Israels, wie sie realiter verlief, auf keinen Fall. Wer geneigt ist, einem aus der Darstellung des Alten Testaments zu eruierenden Geschichtsablauf den Rang einer Gottesgeschichte zuzuerkennen, der kann selbstverständlich jene Geschichte Israels, deren Verlauf der Profanhistoriker nachzuzeichnen vermag, nur als «profane» Geschichte wie jede andere auch ansehen[41].

Hier stellt sich unsere kritische Frage noch viel einfacher, nämlich

---

[40] D. Rössler, Gesetz und Geschichte. WMANT 3, 1960; W. Pannenberg (Hrsg.), Offenbarung als Geschichte, KuD Beih 1 (1961)² 1963, 46–50, 87–90, 96 f. 103 f. 107 f. 139 f; am entschiedensten K. Koch, Ratlos vor der Apokalyptik. Eine Streitschrift über ein vernachlässigtes Gebiet der Bibelwissenschaft und die schädlichen Auswirkungen auf Theologie und Philosophie, 1970.

[41] Von solchem Standort aus ist dem Verfasser dieser Ausführungen, der Vorwurf gemacht worden, er wolle «die Heilsgeschichte gerade-

so: Kann eine Geschichte, die nur in der Vorstellungs- und Gedankenwelt frommer Menschen der Antike existiert hat, die aber in keiner Zeitstrecke der Menschengeschichte jemals Realität gewesen ist, Anspruch auf die Qualität als «Gottesgeschichte» erheben? Was nicht Geschichte ist im Sinne eines sich realiter in Raum und Zeit vollziehenden kontinuierlichen Geschehensablaufs, kann auch nicht «Gottes-» oder «Heilsgeschichte» sein. Das, was sich aus der biblischen Darstellung als angeblicher Geschichtsverlauf eruieren läßt, ist und bleibt eine Geschichtsfiktion, der man unmöglich eine solche Qualität zuerkennen kann. Darüber hinaus treffen eine Reihe der unter 1. genannten Argumente auch hier zu.

3. Der dritte Weg ist bisher u. a. vom Verfasser dieser Ausführungen selbst begangen worden[42]. Danach kommt als die Geschichte besonderer Qualität, von der hier gehandelt wird, weder die Geschichte Israels, wie sie sich realiter vollzog, noch jene Geschichte des alttestamentlichen Gottesvolkes, die nach der Darstellung der Bibel sich ante Christum angeblich, aber nicht wirklich vollzogen hat, in Betracht, sondern eine Geschichte, die von Gott ins Werk gesetzt worden ist «in, mit und unter» der Geschichte, wie sie das Volk Israel von seinen Anfängen an bis in die spätnachexilische Zeit hinein erlebte und erlitt. Die so definierte «Heilsgeschichte» deckt sich also nicht einfach mit dem faktischen Ablauf der Geschichte des antiken Israel; sie ist erst recht nicht identisch mit der vom Alten Testament allenthalben vorausgesetzten Geschichtskonstruktion. Vollends scheidet eine Definition aus, wonach «Heilsgeschichte» eine dem Alten Testament nacherzählte Geschichte von Gottestaten, göttlichen Fügungen und Wundern ist, von denen die Geschichte des Gottesvolkes nach dem alttestamentlichen Zeugnis bestimmt scheint. Nun, was die in diesem Sinne aufgefaßte sogenannte alttestamentliche «Heilsgeschichte» *nicht* ist, läßt sich leicht darstellen. Aber wie ist sie positiv zu beschreiben? Hier setzen die Schwierigkeiten ein. Sie werden letztlich damit zusammenhängen, daß diese «in, mit und unter» der Geschichte Israels sich vollziehende «Heilsgeschichte», deren Subjekt

wegs mit der Geschichte, wie sie die moderne Geschichtsforschung rekonstruiert hat, identifizieren»; so G. v. Rad, Theologie des Alten Testaments II, 9 (nur in der 1.–3. Auflage). Solches war zwar ein Mißverständnis; diesem wurde jedoch durch einige Formulierungen in früheren Aufsätzen offensichtlich Vorschub geleistet.

[42] F. Hesse, Die Erforschung der Geschichte Israels als theologische Aufgabe. KuD 4, 1958, 1–19, bes. 10–13; ders., Zur Frage der Wertung und der Geltung alttestamentlicher Texte. Festschrift F. Baumgärtel, 1959, 81 ( = C. Westermann (Hrsg.), Probleme alttestamentlicher Hermeneutik, 1960, 275); ders., Das Alte Testament als Buch der Kirche, 1966, 111–115, 141–150; mit etwas zurückhaltenderen Formulierungen ders., Bewährt sich eine «Theologie der Heilstatsachen» am Alten Testament?, ZAW 81, 1969, 16 f.

Gott selbst ist, eine nur dem Glauben erkennbare Größe darstellt, so wie Leib und Blut Christi, in, mit und unter Brot und Wein im Abendmahl dargereicht, nur vom Glaubenden als präsent angesehen und angenommen werden; so wie die in, mit und unter den verschiedenen Gestalten empirischer Kirchengemeinschaften verborgene wahre Kirche nur dem Glauben erkennbar ist; so wie die Tatsache, daß in, mit und unter der Sammlung religiöser Dokumente, genannt «Bibel», das Wort des lebendigen Gottes an den Menschen richtend und rettend ergeht, nur im Glauben erfaßt werden kann. Wenn aber Glaube zum Verstehen fortschreiten will, wenn die auf dem Glauben beruhende, aber das Verstehen intendierende Theologie eine legitime Funktion des christlichen Glaubens ist, dann müßte ein Geschichtsverlauf, der nur dem Glauben offen ist, doch mindestens dem Glaubenden einsichtig gemacht werden können. Wir lassen dabei zunächst die prinzipielle Frage, ob Geschichte überhaupt Glaubensgegenstand sein kann, aus dem Spiel. Auch dann aber bleibt die Aporie unlösbar: jene angebliche «Heilsgeschichte», in, mit und unter der Geschichte Israels verlaufend, ist niemandem, auch nicht dem glaubenden Menschen einsichtig zu machen. Auf welche Weise, mit Hilfe welcher Methode wollte man das tun? Der Versuch einer Unterscheidung auf die Weise, daß man sagt, Gott habe der so zu bestimmenden «Heilsgeschichte» seine providentia specialissima zugewendet, während die Geschichte Israels selbst eine Geschichte wie die anderer Völker auch sei, ist in mehrfacher Hinsicht problematisch, und einsichtiger wird der Verlauf dieser sogenannten «Heilsgeschichte» auf solche Weise auch nicht. Auch der sich vielleicht naheliegende Verweis auf die Analogie der Kirchengeschichte in ihrem Verhältnis zur Profangeschichte hilft nicht weiter, weil es sich nur um eine Schein-Analogie handelt: Die Kirchengeschichte ist kaum richtig beschrieben, wenn man sie als eine nur dem Glauben erkennbare Geschichte, unter der providentia specialissima Gottes stehend, definieren würde, die sich in, mit und unter der Profangeschichte ereignet. Kirchengeschichte ist in ihrem Verlauf genau so einsichtig und beschreibbar wie Profangeschichte, und solche Einsicht ist keineswegs nur auf den Glaubenden beschränkt.

Die sich hier eröffnende Aporie, daß die so bestimmte «Heilsgeschichte» als eine nur dem Glaubenden einsichtige nicht beschreibbar ist, hat nun ihre ganz bestimmte, leicht ausfindig zu machende Ursache: Geschichte selbst kann nicht Gegenstand des Glaubens sein, ebensowenig wie ein einzelnes Geschehen oder die Abfolge mehrerer Einzelgeschehnisse. Der Glaube kann dem einzelnen Geschehen, der Geschehensabfolge, der Geschichte einen bestimmten Sinn zuerkennen, den der profane Mensch nicht zu entdecken vermag. Aber einen allein dem Glauben erkennbaren kontinuierlichen Geschehenszusammenhang – und das wäre Geschichte – kann es nicht geben. Geschichte im Sinne einer kontinuierlichen Geschehensabfolge ist prinzipiell jedem, der die intellektuellen Voraussetzungen dafür mitbringt, einsichtig zu machen. Der Glaube kann wohl sagen: Es ist Gott, der den Geschehenszusammenhang so und nicht anders gelenkt hat, und er kann auch das Telos dieses Wirkens Gottes ausfindig zu machen sich bemühen, aber er «glaubt» damit nicht an einen Geschehenszusammenhang, sondern gibt ein Urteil über ihn und seinen Sinn ab. Die These, Geschichte habe von Gott her einen bestimmten Sinn, und dieser sei nur dem glaubenden Menschen zugänglich, ist möglich. Aber man kann nicht behaupten, in, mit und unter der kontinuierlichen Geschehensabfolge, die jedermann einsichtig ist, ereigne sich ein anderer kontinuierlicher Geschehenszusammenhang, der sich nur dem glaubenden Menschen eröffnet. Eine wie auch immer geartete Geschichte kann nicht Objekt des Glaubens sein, das Nichtglaubenden verschlossen wäre. Das gilt auch von der hier zur Debatte stehenden «Gottesgeschichte». Wer in, mit und unter der Geschichte die Existenz einer solchen behauptet und dabei voraussetzt, diese sei nur dem Glaubenden erkennbar, verwechselt das, was man Sinn der Geschichte nennen kann, mit Geschichte selbst. Eine solche «Gottesgeschichte» gibt es nicht; so ist sie auch nicht beschreibbar.

Nunmehr gilt es aber, auf den Wortbestandteil «Heil» des Begriffs «Heilsgeschichte» zurückzukommen und auf ihn besonderes Gewicht zu legen[43]. Bei einer Heilsgeschichte ante Christum kann es sich nach unseren früheren Feststellungen nur um Heil im futurischen Sinne handeln: Die alttestamentliche Geschichte läuft – so das gängige Verständnis – auf ein Telos zu; von diesem Telos ist sie allerdings nachhaltig bestimmt, da alles nach göttlichem Plane verläuft.

Gern wird die so verstandene Heilsgeschichte unter dem Aspekt einer «Verheißungsgeschichte» ins Auge gefaßt[44]. Damit ist wiederum nicht gemeint, die Verheißung Gottes, je und je in Israel hineingegeben, habe selbst eine Geschichte. Was Geschichte haben kann, ist allein die jeweilige Konkretisierung, die der – gewissermaßen «senkrecht» in die Geschichte einfallenden – göttlichen

---

[43] Mit dem Satz von Anm. 39, daß «Heilsgeschichte in jedem Falle «Gottesgeschichte» sei, verbunden mit der eben getroffenen Feststellung, daß es eine solche nur dem Glauben erkennbare «Gottesgeschichte» nicht gebe, sind die folgenden Ausführungen im Grunde als überflüssig erwiesen. Sie haben den Sinn, die prinzipielle These von der theologischen Unmöglichkeit einer «Gottesgeschichte» an der sogenannten «Heilsgeschichte» zu exemplifizieren.

[44] Vgl. z. B. F. Hesse, Das Alte Testament als Buch der Kirche, 1966.

Zusage im Verlaufe der Geschichte Israels gegeben worden ist, oder auch die jeweilige Reaktion, mit der Israel auf die Verheißung einging, sie aufnahm, sie verarbeitete. Was den Gesetzen der Geschichte unterworfen ist, ist neben der Konkretisierung der Verheißung, der Antwort Israels auf die göttliche Zusage vor allem das, was die alttestamentlichen Zeugen als deren Erfüllung angesehen haben. Nur in diesem Sinne kann man von Verheißungsgeschichte reden.

Können wir eine so zu verstehende Verheißungsgeschichte als Heilsgeschichte bezeichnen? Diese Frage muß anscheinend bejaht werden, denn Verheißung ist auf jeden Fall ein heilvolles Geschehen. Wenn Gott einen Menschen oder ein Volk mit einem als Zusage, als Verheißung zu interpretierenden Wort anredet, dann bedeutet allein diese Tatsache schon Heil, und zwar unabhängig von der Frage, wann und in welcher Weise sich diese Zusage realisiert. Hier wäre aber sogleich einzuwenden, daß dieses mit der göttlichen Zusage gesetzte Heil selbst keine Geschichte hat. Ist die Frage von der theologischen Argumentation her folglich doch zu verneinen, so nötigt eine psychologische Betrachtung offensichtlich zu ihrer Bejahung: Derjenige, der eine Zusage mit heilvollem Inhalt erhält und sich mit ihr zu beschäftigen beginnt, kann allein dadurch, daß ihn der Erhalt der Zusage glücklich macht, in einen relativen Heilszustand geraten. Ist es doch eine uralte menschliche Erfahrung, daß die Vorfreude, wie sie durch eine Zusage ausgelöst werden kann, unter Umständen intensiver ist als jene Freude, die sich an die Realisierung der Zusage knüpft. Aber auch hier bedarf es sogleich einer Einschränkung: Jener Zustand der Vorfreude bleibt ein rein subjektiver und auch sonst relativer «Heils»zustand. Es ist der Zustand freudiger Erwartung, gespannter Hoffnung; man erwartet Heil, und hat es eben deswegen noch nicht. Anders gesagt: Man befindet sich subjektiv infolge der Vorfreude in so etwas wie einem Heilszustand; objektiv gesehen ist das Heil selbst aber noch nicht präsent.

Heil in vollgültigem Sinne ist vielmehr erst dort gegeben, wo das Zugesagte Wirklichkeit wird, wo die Verheißung sich realisiert. Wenn auch der Satz: «Ich bin Jahwe, dein Gott», oder: «Ihr mein Volk, ich euer Gott», als vollmächtiges Wort von Gott her an sich schon Heil bedeutet, so ist er doch als Zusage auf Erfüllung, als Verheißung auf Wahrwerden dieser hin angelegt. Da nun nach dem alttestamentlichen Zeugnis das angeredete Gegenüber ein Volk ist, neben anderen Völkern hier auf Erden existierend, kann sich die Realisierung solcher Zusage nur auf jenem Felde ereignen, das wir Geschichte nennen. Es wäre demnach eine Kette von Realisierungen göttlicher Zusage in Geschichtsereignissen, was wir unter Umständen Heilsgeschichte nennen könnten.

Aber in der Geschichte des alttestamentlichen Gottesvolkes mangelt es, wie wir gesehen haben, allenthalben an solchen «Heils»-geschehnissen. Kein Ereignis, sei es in der Geschichte Israels nach ihrem faktischen Verlauf, sei es in jener Geschichte, wie sie sich nach dem Alten Testament darstellt, kann als volle, endgültige Realisierung der göttlichen Zusage gelten; allenfalls kann man von Teilrealisierung sprechen, die nun nach dem Glauben Israels ihrerseits eine neue Verheißung aus sich heraussetzt, also wiederum in den Zustand des Noch-Nicht-Habens versetzt[45]. Nichts, was sich im Laufe der Geschichte ereignet, kann als ein der Größe der Verheißung angemessenes Korrelat gelten; schon darum ist, was die endgültige Einlösung der Zusage angeht, auf die Zukunft zu verweisen. Die Verheißungsgeschichte ist folglich keineswegs eine solche Heilsgeschichte, in der das Heil schon präsent wäre, denn in ihr realisiert sich in keinem Augenblick Heil in vollgültiger Weise. Teilrealisierungen aber, wie sie einzelne Generationen erlebt haben mögen, gehen außerdem, wenn sie ohne größeren Einfluß auf den weiteren Geschichtsverlauf bleiben, nur die an, die sie erleben, die selbst in ihnen relatives Heil erfahren, nicht aber zukünftige Geschlechter. Präsent ist Heil in dieser «Heilsgeschichte», weil in ihr je und dann ein zusagendes Wort des lebendigen Gottes ergangen ist. Aber die Zusage verlangt nach Realisierung; insofern ist sie selbst noch nicht volles Heil.

Das, was wir im christlichen Glauben als Realisierung dieser Verheißung erfassen, nämlich das Heilsgeschehen im Christus crucifixus, ist ein kontingentes Geschehen, «auf das hin» die alttestamentliche Geschichte in ihrem Verlauf nicht ist. Davon daß Christus das Telos einer alttestamentlichen Geschichte, in die hinein je und dann eine göttliche Verheißung gegeben worden wäre, darstelle, kann man nicht sprechen, weil diese Geschichte nicht auf den Christus crucifixus, als unser Heil begriffen, zuläuft – es sei denn als eine Geschichte des Scheiterns[46]. Der Christus crucifixus pro nobis ist Verwirklichung der alttestamentlichen göttlichen Verheißung, aber er ist nicht das Telos einer alttestamentlichen Verheißungsgeschichte. Der Begriff «Verheißungsgeschichte», einmal versuchsweise für «Heilsgeschichte» in ihrem alttestamentlichen Teil eingesetzt, hilft also auch nicht weiter. Ist mit dem Terminus «Heilsgeschichte» selbst weiterzukommen? Wir versuchen eine Antwort auf diese Frage, indem wir uns noch einmal

---

[45] W. Zimmerli, Verheißung und Erfüllung. EvTh 12, 1952/3, 52 ( = C. Westermann (Hrsg.), Probleme alttestamentlicher Hermeneutik, 1960, 92).
[46] R. Bultmann, Weissagung und Erfüllung. Studia Theologica II, 1949, 21–44 = ZThK 47, 1950, 360–383 = Glaube und Verstehen II (1952) ⁵1968, 162–186, hier bes. 183–186.

die anfangs behandelten drei Arten von «Geschichte» vergegen-
wärtigen und an sie die Frage richten: Kann man einer dieser
Arten unter Umständen das Prädikat «Heilsgeschichte» zuerkennen?

1. Die Geschichte Israels, wie sie sich uns auf Grund kritischer
Betrachtung der Quellen und der archäologischen Gegebenheiten
darstellt, kann in keiner Hinsicht Heilsgeschichte genannt werden.
Jene – sowieso Episode bleibenden – Abschnitte dieser Geschichte,
die der alttestamentlichen Betrachtung als eine relativ heilvolle
Zeit erscheinen, verlieren für den kritisch beobachtenden Geschichtsforscher, der zu Vergleichen in der Lage ist, erheblich an
Glanz; das angebliche Heil relativiert sich für ihn noch stärker
als für die alttestamentlichen Zeugen selbst. Vor allem wo diese
noch Hoffnung hegen, Gottes Zukunft zu seinem Volke hin werde
das endgültige und volle Heil bringen, muß der Forscher konstatieren, daß solche Hoffnung unerfüllt blieb. Je weiter die Zeiten
fortschreiten, um so weniger sieht es danach aus, daß jene an sich
längst abgeschlossene Geschichte Israels einen Neuanfang unter
heilvollen Vorzeichen erfahren werde[47].

2. Die Geschichtsfiktion des Alten Testaments, das nämlich, was
sich das Alte Testament selbst unter der Geschichte des alttestamentlichen Gottesvolkes vorstellt, vermag in keinem Sinne «Heilsgeschichte» genannt zu werden. Wenn überhaupt etwas an dieser
Geschichte in der Sicht der alttestamentlichen Zeugen heilvoll
war, dann liegt es weit in der Vergangenheit, oder es ist von einer
Zukunft, die aber eben nicht Gegenwart ist, zu erhoffen. Das Alte
Testament erinnert sich allerdings gern und häufig vergangener
Heilssetzungen Jahwes, als da sind: Segen für die Väter, Befreiung
aus Ägypten, Bewahrung während des Wüstenzuges, Einnahme des
Kulturlandes, Gnadenerweisungen für David. Aber eben darin
zeigt sich schon, daß der weitere Verlauf der Geschichte bis hinein
in die Gegenwart einen Vergleich mit jenen strahlenden Anfängen
überhaupt nicht aushält. Nur wer im Unglück lebt, gedenkt gern
und häufig vergangenen Heils; derjenige, für den das Heil noch
ungebrochene Gegenwart ist, hat solches nicht nötig. Außerdem
ist sich das Alte Testament in seinen einzelnen Schichten über den
heilvollen Charakter vergangener Geschehnisse keineswegs einig;
was für die einen Heil, oder zumindest mit Heil verbunden ist, ist
für andere vorwiegend Unheil[48]. Von wenigen in der David/Sa-
lomo-Zeit lebenden Schriftstellern abgesehen hat für keinen alt-

---

[47] Selbstverständlich darf man bei solchen Überlegungen nicht die in
unserer Gegenwart «Israel» heißende politische Größe theologisch zu
dem Israel des Alten Testaments in Beziehung setzen.
[48] Vgl. beispielsweise die Beurteilung der Wüstenzeit bei Hosea und im
Pentateuch.

testamentlichen Zeugen sonst die eigene Gegenwart den Charakter einer Heilszeit. Was aber an Einzelereignissen in der Vergangenheit allenfalls heilvoll war, reiht sich nicht zu einer sich länger hinziehenden Ereigniskette aneinander, der man das Prädikat «Heilsgeschichte» zuerkennen könnte.

3. Jene geheimnisvolle, in, mit und unter der Geschichte Israels verlaufende, nur dem Glauben erkennbare Gottesgeschichte aber muß nicht deswegen Heilsgeschichte sein, weil sie in einmaliger, qualitativ von jeder anderen Geschichte verschiedener Weise von Gott gewirkt und gestaltet wäre. Wo Gott in solcher Weise, nur vom Glauben erkennbar, wirkt, muß er nicht unter allen Umständen heilvoll am Werke sein; es ließe sich auch ein nur dem Glaubenden einsichtiges Unheilsgeschehen, von Gott als solches ins Werk gesetzt, denken. Israel hat es in seiner Geschichte, wenn man diese denn als Gottesgeschichte bezeichnen will, mit dem Gott zu tun, der Heil wirkt und Unheil schafft (Jes. 45, 7), und es hat das Letztere weit öfter und radikaler erfahren müssen als die Verwirklichung von Heil. Sollte Israel wirklich dem lebendigen Gott auch in seinem Erfahren von Geschichte näher gewesen sein als alle anderen sonst zu nennenden Völker und Gemeinschaften, so hat es doch erfahren müssen, daß solche Gottesnähe furchtbarer und unerträglicher sein kann als das Fernsein Gottes. Gottesgeschichte – unter der Voraussetzung, daß es solche überhaupt gibt – ist nicht eo ipso Heilsgeschichte. Dies gilt im übrigen auch für die zuvor behandelten beiden Aspekte, unter denen man die alttestamentliche Geschichte sehen kann.

# VI. Die Frage der Kontinuität

## 1. Alttestamentliche «Heilsgeschichte» als Geschichtskontinuum

Kehren wir nach diesem Exkurs, der die alttestamentliche Geschichtsperiode isoliert betrachtete, zu dem zurück, was mit «Heilsgeschichte» üblicherweise gemeint ist. Als deren Mitte wird die Gottestat in Jesus Christus angesehen; die Heilsgeschichte gilt darum als noch nicht vollendet. Ihr gegenüber ist nunmehr eine weitere Frage zu stellen, nämlich diejenige nach ihrer Kontinuität. Denn Geschichte ist ein Geschehenszusammenhang, dem Kontinuität eignet. Dies gilt auch dann, wenn der Geschichtsforscher sich nicht in der Lage sieht, einen jeden Vorfall, der ein Geschichtsereignis anbahnt oder auslöst, zu registrieren, einfach darum, weil es unmöglich ist, über alle Geschehnisse Kenntnis zu erlangen. Außerdem sieht sich der Historiker schon aus äußerlichen Gründen gezwungen, in seinem Bericht über ein Stück Geschichte unter den an sich erwähnenswerten Ereignissen eine Auswahl zu treffen; sein Geschichtsbericht kann nur eine Geschichtsübersicht sein. Dieser faktische Zwang zur Auswahl entbindet aber nicht von der theoretischen Einsicht, daß Geschichte als Ganzes, wenn sie denn diesen Namen verdient, auch Ereignisse mit umfaßt, die, aus was für Gründen auch immer, trotz ihrer ursächlichen Bedeutung für berichtete Ereignisse nicht erwähnt zu werden brauchen oder nicht erwähnt werden können. Geschichte ist keine Folge von Einzelgeschehnissen und -aktionen, die je und dann, vielleicht sehr unvermittelt, über Menschen und menschliche Gemeinschaften, diese u. U. in erheblichem Maße verändernd, hereinbrechen. Jeder scheinbaren Einzelaktion, jedem scheinbar isolierten Einzelgeschehnis geht ein Geflecht von Gedanken, Handlungen, Unterlassungen voraus, die, für sich betrachtet, oft genug den Anschein der Belanglosigkeit haben mögen, aber als (mit)auslösendes Moment jener von erheblicher Bedeutung sind. Diese Gedanken, Handlungen und Unterlassungen ihrerseits sind wieder bedingt durch ihnen zeitlich und logisch vorangehende Ereignisse. Auf jeden Fall gehört demnach Kontinuität zum Wesen dessen, was wir Geschichte nennen. Dieser kontinuierliche Charakter der Geschichte ist prinzipiell rational einsichtig, und ein gut Teil Arbeit der Geschichtswissenschaft wird darauf verwendet, diese Einsicht zu ermöglichen und zu fördern. Der Nachweis der Kontinuität muß theoretisch an jeder beliebigen Geschichtsstation möglich sein, auch wenn er praktisch nie vollständig gefordert werden kann.

Heilsgeschichte nun ist, wie schon der Name sagt, ein Sonderfall von Geschichte. Das eben Gesagte muß also auch für sie gelten. Allerdings wird dieser Sachverhalt nicht immer mit der nötigen Deutlichkeit zum Ausdruck gebracht. Wenn wir beispielsweise der Definition von Heinrich Ott[49] folgen, so scheint das Moment der Kontinuität nicht unbedingt zu den Wesensmerkmalen der Heilsgeschichte zu gehören. Der Verfasser spricht lediglich davon, daß «Heilsgeschichte» aus einem Nacheinander göttlicher Taten bestehe, die sich nach einem vorgefaßten Plane Gottes abspielen. Theoretisch könnten zwischen den einzelnen hier anzuführenden Taten Gottes große Zeiträume liegen; vor allem aber erscheint gar nicht ausgemacht, ob diese Gottestaten in einem ähnlichen Kausal-, Final- Konsekutivverhältnis zueinander stehen, wie es bei Ereignissen der Profangeschichte der Fall ist, der Fall sein muß.

Doch es gilt, etwas näher zuzusehen. Als Hauptstationen der bei Ott als solcher näher bestimmten Heilsgeschichte werden von ihm genannt: Erschaffung der Welt, Sündenfall, Gottes Handeln mit den Erzvätern, die Bundesschließung mit Israel, die Geschichte des Gottesvolkes, die Fleischwerdung des Wortes, Kreuz, Auferstehung, Himmelfahrt, die Zeit der ecclesia militans und der Ausbreitung des Evangeliums bis zur Parusie Jesu Christi, schließlich Jüngstes Gericht und Weltvollendung.

Daß diese Aufzählung schon als Mischung von fiktiven und wirklichen Ereignissen, aber auch in mehrfacher anderer Hinsicht äußerst problematisch ist, darüber bedarf es kaum eines weiteren Wortes. An dieser Stelle soll es nur auf den Gesichtspunkt der Kontinuität ankommen. Selbstverständlich besteht zwischen einzelnen der genannten Ereignisse ein Kausalverhältnis. Wenn es auch in vielen Fällen der Theologe unserer Zeit ablehnen muß, ein solches Kausalverhältnis zu behaupten, und zwar darum, weil die «Ereignisse», zwischen denen es bestehen soll, sich niemals abgespielt haben, so wird man doch in der Bibel selbst und danach in ihrer Auslegungsgeschichte Zeugen genug finden, die von einer Kontinuität zwischen diesen heilsgeschichtlichen Ereignissen überzeugt sind. Lassen wir in diesem Zusammenhang die Frage der Faktizität folglich einmal außer Betracht und gehen wir von der Voraussetzung aus, die genannten Gottestaten seien Stationen einer wie auch immer näher zu beschreibenden realen Geschichte,

[49] RGG ³III, 187–189, s. v. «Heilsgeschichte».

der viele fromme Menschen das Prädikat «Heilsgeschichte» geben. Was ist dann aber mit den zwischen diesen Gottestaten stehenden Zeiträumen, die Jahre, Jahrzehnte, Jahrhunderte umfassen können? Wie steht es um die Qualität dieser «Interregna»; hat Gott hier weniger «heilsgeschichtlich» gehandelt, oder stehen wir hier nur vor der schon erwähnten Aporie des Geschichtsbetrachters und -berichters, der unmöglich alles zu erfassen vermag?

Hinzu kommt eine Schwierigkeit anderer Art: Die von Ott, gewiß ohne Anspruch auf Vollständigkeit, aufgezählten Stationen der Heilsgeschichte sind qualitativ sehr unterschiedlich. Da werden Ereignisse genannt, die man gewissermaßen als «Blitzaktionen» Gottes bezeichnen könnte: Schöpfung, Bundschließung mit Israel, Fleischwerdung des Wortes, Kreuz, Auferstehung, Himmelfahrt, Jüngster Tag. Neben ihnen stehen andere, die als Jahrhunderte, ja Jahrtausende überdauernd gar keine «Stationen» der Heilsgeschichte darstellen, sondern Wegstrecken zwischen Stationen sind: Handeln Gottes mit den Vätern, Geschichte des Gottesvolkes, Geschichte des Evangeliums bis hin zur Parusie. Eine Kontinuität zwischen Gottestaten, die sich als punktuelle Aktionen darstellen, zu behaupten oder sogar zu versuchen, diese Kontinuität einsichtig zu machen, dürfte ein sehr schwieriges, wenn nicht unmögliches Unterfangen sein. Das mag im Blick auf unsere Überlegungen aber auf sich beruhen. Ebenso wichtig ist jedoch die Frage, ob denn wenigstens für die Wegstrecken zwischen den Stationen, die ja doch das «Gros» der Heilsgeschichte, wenigstens quantitativ gesehen, ausmachen, sagen kann, hier liege ein Geschehenszusammenhang vor, dem Kontinuität eigne.

Uns interessiert hier in erster Linie die Wegstrecke zwischen Erschaffung der Welt und dem Christus crucifixus, d. h. jener Zeitraum, der im großen und ganzen durch das Zeugnis des Alten Testaments gedeckt wird. Was die Ereignisse auf dieser Wegstrecke betrifft, die diese erst als Kontinuum einsichtig machen können, so sind wir über sie zum Teil sehr schlecht informiert. Ist das nur ein Mangel an Information, begründet durch eine mehr oder weniger zufällige Lückenhaftigkeit des Informationsmaterials, oder sollte es eine Kontinuität auf dieser Wegstrecke der «Heilsgeschichte» gar nicht geben?

1. Fassen wir die Geschichte Israels, wie sie nach Ansicht der Geschichtswissenschaft verlaufen ist, in den Blick, so ist diese Frage eindeutig im erstgenannten Sinne zu beantworten. Wenn wir von «der» Geschichte Israels sprechen, so setzt der Gebrauch dieses Terminus, sollte er nicht völlig verfehlt sein, voraus, daß wir es hier mit einem kontinuierlichen Geschehenszusammenhang zu tun haben. Wenn uns einzelne Glieder dieser Geschehenskette zu fehlen scheinen, so kann es sich dabei allein um einen Mangel an

Information handeln. Dieser ist, für sich genommen, allerdings ärgerlich genug. Wir möchten – und dafür sind die verschiedensten Gründe maßgebend – über die Vorgeschichte des Volkes, seine frühe Geschichte und über die Geschichte der nachexilischen Gemeinde – um nur diese drei Perioden zu nennen – mehr, viel mehr wissen, als wir jemals aus den uns zur Verfügung stehenden Quellen erheben können. Auch angesichts des im Grunde sehr schmalen Zeitraums, über den unsere Quellen beredter Auskunft geben – etwa von Saul bis zum Beginn des Exils –, fehlt uns im Einzelfall viel informatives Material. Ungeachtet dieser Quellenlage, die unser Geschichtsabschnitt im übrigen mit vielen anderen geschichtlichen Epochen der Antike – und nicht nur dieser! – teilt, dürfte aber kein Zweifel darüber bestehen, daß wir es bei dem, was wir im Sprachgebrauch der Wissenschaft «Geschichte Israels» nennen, mit einem kontinuierlichen Geschehenszusammenhang zu tun haben. Wenn wir auch viele, vielleicht die meisten Ereignisse nicht kennen, so haben wir doch unbestreitbar das Recht, eine Unzahl von Ereignissen zu postulieren, durch die der Ablauf der Geschichte kontinuierlich in Bewegung gehalten wurde. Uns zufällig unbekannte, aber zu postulierende Geschehnisse haben, sei es mittelbar oder unmittelbar, zur Auslösung dieses und jenes Begebnisses beigetragen, von dem wir zufällig wieder Kenntnis haben. Bei der Geschichte Israels im bezeichneten Sinne handelt es sich also um Geschichte im strengen Sinne des Wortes, der Kontinuität eignet.

2. Diese Geschichte Israels ist jedoch im gängigen Gebrauch des Wortes «Heilsgeschichte» nicht gemeint, und auch Heinrich Ott bezieht sich in seinem Referat über einzelne Etappen der Heilsgeschichte nicht auf nomadische Sippenverbände, Landnahme, Amphiktyonie und Monarchie, sondern auf Erschaffung der Welt, Handeln Gottes mit den Vätern, Bundesschluß mit Israel, Geschichte des «Gottesvolkes». Das ist also im großen und ganzen jene Geschichte, wie sie die alttestamentlichen Traditionen voraussetzen oder beschreiben.

Es sei nunmehr bei der weiteren Überlegung von dem schon erörterten Einwand abgesehen, daß ein Geschichtsverlauf, der die genannten Stationen und Wegstrecken in sich schließt, zum guten Teil Fiktion ist. Immerhin – ein solcher Geschichtsablauf ist vorstellbar, er hat in der Geschichte der «Idee der Heilsgeschichte»[50] seine Rolle gespielt, und davon gehen wir jetzt für einen Augenblick aus. Die Frage ist: Haben wir – unter der eben gemachten Voraussetzung, es handele sich um reale, nicht fiktive Stationen

---

[50] Diese – zutreffende – Kennzeichnung des Theologumenons Heilsgeschichte als «Idee» in der dogmengeschichtlich instruktiven Arbeit von K. G. Steck, Die Idee der Heilsgeschichte, ThSt 56, 1959.

und Wegstrecken – ein Recht, das hier ins Auge Gefaßte mit dem Terminus «Geschichte» im Sinne eines Kontinuums zu etikettieren, so wie dieses Recht bei der Geschichte Israels ohne Zweifel besteht?

Zunächst: Auch die Beschreibung dieses Geschichtsablaufs weist große Lücken auf. Zum Teil sind es dieselben, auf die eben hingewiesen werden mußte, aber aufs ganze gesehen gibt es auf dieser Geschichtslandschaft noch erheblich mehr «weiße Flecken». Über die zwischen Weltschöpfung, Sintflut und Erwählung Abrahams liegenden Ereignisse unterrichten uns die Quellen nur äußerst lückenhaft, und es handelt sich hier doch um recht große Zeiträume. Wenn man davon ausgeht, daß eine «Heilsgeschichte» recht eigentlich mit der Herausrufung Abrahams zu einem Neuanfang beginnt, mag dieser Mangel noch auf sich beruhen. Von Abraham an ist anscheinend für eine ganze Weile das Moment des Kontinuierlichen da; es wird etwa bis zum Beginn des babylonischen Exils durchgehalten. Angesichts dieses Kontinuums stehen wir aber sofort vor der anderen, schon behandelten Frage, mit welchem Recht dieses Stück Geschichte des Gottesvolkes den Namen «Heilsgeschichte» verdient, so gewiß es hier nach dem alttestamentlichen Bericht gelegentlich heilvolle Aktionen und Führungen Gottes gegeben hat. Um dieser willen wird doch das, was letztlich zur Katastrophe führte, als das, was sehr viel schwerer wog, nicht übergangen oder auch nur bagatellisiert. Mit dem Exil aber reißt der Faden, soweit es sich um Information über kontinuierliche Geschichtsereignisse handelt, nahezu völlig ab. Nur der Chronist spinnt ihn noch weiter, bis in die Nehemiazeit hinein; aber der Aspekt «Heils»-geschichte spielt bei ihm keine Rolle. Von da an versiegen die Quellen so gut wie ganz, bis die neutestamentlichen Heilsereignisse ins helle Licht treten. Das, was noch da ist und allenfalls indirekt zur Erhellung einzelner Wegstrecken beiträgt, genügt nicht, um dieses Stück der «Heilsgeschichte» als ein Kontinuum in den Blick zu bekommen. Angesichts dieses Sachverhalts sei noch einmal die Frage gestellt: Liegt das nur an einem Informationsmangel, oder sollten die Gründe anderswo liegen?

Hier genügt m. E. die Berufung auf die Lückenhaftigkeit des Materials, das die Information ermöglicht, nicht. Die Gründe dafür, daß dieser Art «Heilsgeschichte» das Kontinuierliche fehlt, liegen anderswo. Nach der gängigen Auffassung ist es eine Geschichte von Gottestaten; was Gott setzt, sagt, tut, bestimmt den Fortgang der Geschichte. Eine Geschichte von Gottestaten aber ist als Kontinuum gar nicht denkbar. Wenn Gott etwas setzt, was in der menschlichen Geschichte wirkt, so ist das eben als göttliche Setzung von allem sonstigen Geschehen darin unterschieden, daß

Gottes Handeln keine Kausalität und Finalität kennt. Wo Gott etwas setzt, da ist es etwas Neues, in nichts Voraussehbares oder gar Vorausberechenbares. Das läßt sich bereits an einzelnen Stationen der so verstandenen «Heilsgeschichte» ohne Schwierigkeiten klarmachen: Daß Gott die Sintflut beschloß und ins Werk setzte, daß er den einen, Noah, dann doch durch dieses vernichtende Geschehen hindurchrettete, daß er Abraham aus dessen Bindungen in eine ganz neue Existenz berief, daß er Israel aus Ägypten befreite, daß er es in ein Land brachte, das von Milch und Honig überfloß – das alles und noch viele andere Taten Gottes, von denen uns das Alte Testament berichtet, sind nach diesem Bericht Taten, die ein Neues setzen, so daß hier das kontinuierliche Geschehen «von oben her» durchbrochen wird. Gottes ist nicht das kontinuierliche, sondern das kontingente Handeln. Zugespitzt formuliert: Wo Gott richtend und rettend eingreift, da kann es Geschichte im Sinne eines kontinuierlichen Geschehenszusammenhangs gar nicht geben. Heilsgeschichte im Sinne einer kontinuierlichen Geschichte, die durch Gottestaten bestimmt ist, ist ein in sich von einem unaufhebbaren Widerspruch bestimmter, darum dem Glauben und dem theologischen Denken letztlich gar nicht möglicher Begriff.

Wenn dies richtig ist, wird es kaum zufällig sein, daß die alttestamentlichen Zeugen um so zurückhaltender von Jahwes Wirken berichten, je kontinuierlicher sich ihnen eine Geschehenskette darstellt. Das läßt sich am deutlichsten an den Erzählungen von Davids Aufstieg und von der Thronnachfolge Davids erkennen. Aber auch der Jahwist, Elohist, Deuteronomist tendieren in diese Richtung. Nicht daß sie ein Wirken Jahwes auf dieser Geschichtsstrecke leugnen würden; davon sind sie weit entfernt. Sie wissen vielmehr darum, daß Gott in einem Geschichtskontinuum auf die Weise wirkt, daß er mit Hilfe menschlicher Taten und Unterlassungen, höchst irdischer Ereignisse und geschichtsimmanent zu erklärender Begebnisse die Dinge auf das Ziel hin vorwärtstreibt, das er gesetzt hat, und sie berichten dementsprechend. In dieser Sicht unterscheiden sich die genannten biblischen Zeugen aber nicht im mindesten von einem Geschichtsforscher von heute, sofern dieser Gott und die Geschichte in Beziehung zueinander zu setzen vermag. Gott ist sicherlich auch in einem Geschichtskontinuum am Werke. Wo es sich aber um Taten Gottes handelt, durch die dieser sein durch sein Wort proklamiertes Heil für die Menschen setzt, oder von ihm – ebenfalls durch sein Wort – angedrohtes Unheil verhängt, da geschieht solches Gotteswort unabhängig von jedem Geschichtskontinuum. Gott kann darum nach alttestamentlichem Zeugnis auch sehr unmittelbar, ohne sich irdischen Geschehens und menschlicher Taten zu bedienen, in die Ereignisse eingreifen und so ein völlig Neues setzen, das in keiner Weise, oder nur höchst indirekt, mit vorher Geschehenem zusammenhängt. Wenn er eine Flut auf Erden kommen läßt, so aus eigenem unerfindlichem Ratschluß. Das einzige, was diesen Entschluß und die ihm entspringende Tat mit vorangegangenen Ereignissen verbindet, ist die Erkenntnis, daß sie als Quittung von Gott her auf sich anhäufende menschliche Schuld gemeint ist. Daß Noah mit Hilfe einer Arche sich retten kann, geht einzig auf göttliche Veranlassung zurück, ebenso später, daß Abraham alle bisherigen Bindungen hinter sich läßt. Ähnlich steht es mit der Berufung des Mose, dem Bundesschluß am Sinai – alles, was als Neusetzung unmittelbar göttlicher Initiative entspringt, entbehrt des Moments des Kontinuierlichen, ist aber nie ohne ankündigendes Wort.

Es hilft hier auch nichts, wenn man die mangelnde Kontinuität durch typisches, d. h. in seiner Eigenart immer wiederkehrendes Handeln Gottes ersetzt sehen möchte. Typisches Handeln Gottes macht die angebliche Heilsgeschichte nicht zum Kontinuum. Es muß bei der Feststellung bleiben: Die vom Alten Testament bezeugte Kette von Gottestaten an Israel und an seinen Vätern kann keine Geschichte, geschweige denn Heilsgeschichte sein; wo Gott von außen her ins Geschehen mit seinem Wort, mit seinen Machttaten eingreift, gibt es kein Kontinuum, also auch keine Geschichte.

3. Bliebe noch jene «Heilsgeschichte» zu untersuchen, die sich in, mit und unter der Geschichte Israels, wie sie realiter verlief, abgespielt haben soll. Daß wir diese Art von «Heilsgeschichte» früher aus anderen Gründen für eine theologisch nicht zu legitimierende Größe deklarieren mußten, bleibe bei der jetzt gestellten Frage nach dem Moment der Kontinuität, das für die Größe «Geschichte» konstitutiv ist, außer Betracht. Es geht hier also um *eine* Geschichte, die aber gewissermaßen ihre zwei Seiten hat, je nachdem, unter welchem Aspekt, von welchem Standort aus man sie betrachtet. Der Historiker und der Religionsgeschichtler sehen sie allein als die aus den Quellen zu erschließende, mit den Mitteln der ratio zu beschreibende Geschichte des Volkes Israel, der, weil sie Geschichte eines Volkes ganz nach Analogie der Geschichte anderer Völker ist, selbstverständlich Kontinuität eignet. Der Glaubende und der Theologe, dem daran gelegen ist, auf dem Grunde des Glaubens das Verstehen zu fördern, sehen eben diese Geschichte des Volkes Israel dadurch aus aller sonstigen Geschichte qualitativ herausgehoben, daß Gott sie als vehiculum benutzte, um mit ihr, in ihr seine Heilstaten zur Rettung der Welt zu setzen, Heilstaten, die nicht dem Geschichtsforscher, auch nicht dem Religionswissenschaftler, sondern nur dem Glaubenden einsichtig sind.

Angesichts dieser Größe «Heilsgeschichte» gerät man jedoch von unserer jetzigen Fragestellung her ebenfalls rasch in eine Aporie. Eine Geschichte, die unter einem derartigen Doppelaspekt gesehen werden kann, konfrontiert mit einfach nicht zu überwindenden Schwierigkeiten: Ein kontinuierlicher Geschehenszusammenhang, der vehiculum sein soll für einzelne Gottestaten, denen deswegen, weil sie göttlich-schöpferischer Initiative entspringen, das Moment des Kontinuierlichen gerade abgeht, ist nicht vorstellbar. Wenn eine frei schöpferische Tat Gottes in diese Geschichte, die wesenhaft durch das Moment der Kontinuität bestimmt ist, gleichsam senkrecht von oben hineingeschieht, wenn die göttliche Initiative hier ein Neues setzt, dann kann das nur zur Folge haben, daß die Kontinuität jenes Geschichtsablaufs, der das vehiculum darstellt, gesprengt wird. Gottestaten, auch wenn sie eine Kette zu bilden scheinen, auch wenn sie einem einheitlichen Plan entspringen, mangelt gerade darum, weil sie Gottestaten sind, das Kontinuierliche. Eine Geschichte, die von den Kausalitätsgesetzen bestimmt ist, die von daher ihr Wesen des Kontinuums empfängt, kann nicht vehiculum für bestimmte Taten Gottes sein, die prinzipiell das Kontinuum sprengen; jedesmal, wenn Gott eingreift, um eine Heilstat zu setzen, würde das vehiculum unter diesem Eingriff zerbrechen müssen.

Wir müssen uns an dieser Stelle noch einmal mit einem eben schon berührten Einwand befassen: Abgesehen von jener «Heilsgeschichte», die unser Thema darstellt, kann doch jede beliebige Geschichte unter dem eben beschriebenen Doppelaspekt gesehen werden. Dem einen, der lediglich rationale Mittel wie seine Forschergabe, sein Erkenntnisvermögen, seine Fähigkeit zur Gesamtschau einsetzt, erscheint die Geschichte, die er betrachtet, als ein Geflecht von Geschehnissen und Taten, die alle zueinander in einem Kausalverhältnis stehen, von denen also die früher geschehende die spätere in irgendeiner Weise bedingt, zur Folge hat, in deren Eigenart bestimmt. Dieselbe Geschichte aber kann der religiöse Mensch als ein von Gottes Wirken Durchdrungener ganz anders sehen: als einen Geschehenszusammenhang, den Gott selbst nach seinem Plane bewußt so und nicht anders lenkt und gestaltet. Die scheinbaren Akteure im Geschichtsverlauf werden auf dieser ganz anderen Ebene, in dieser andersgearteten Perspektive als Werkzeuge in Gottes Hand erkannt, die das, was sie scheinbar aus Eigenem, zugleich aber den Kausalitätsgesetzen bedingungslos anheimgegeben, letztlich doch nur vollziehen, weil Gott es so will. Es besteht kein Zweifel: Der glaubende Mensch kann jede beliebige Geschichte jedes Volkes oder der Welt so sehen, und der Systematiker spricht in diesem Zusammenhang von der providentia Dei, die letztlich in allem Geschehen waltet. Das Wesentliche an dieser providentia ist jedoch dies, daß der Gott, den man hier auf solche Weise am Werke weiß, sich in seinem Handeln völlig an die Kausalitätsgesetze gebunden hat. Die Geschichte läuft ganz entsprechend diesen Gesetzen ab; es ist nichts Mirakulöses an ihr, weil sich eines folgerichtig aus dem anderen ergibt. Trotzdem weiß der glaubende Mensch in all solchem Geschehen seinen Herrn am Werke, der damit seine bestimmten Absichten, einem von ihm in Aussicht genommenen Ziel entgegen, vollführt. Sollte man von dieser Feststellung aus nicht doch an ein heilsgeschichtliches Kontinuum denken können? Wäre es nicht vorstellbar, daß Gott auch das Kontinuum «Geschichte Israels ante Christum» in der beschriebenen Weise als vehiculum benutzt hat, um seine Ziele zum Heile des Menschen und der Welt zu verwirklichen, daß er also das Kontinuum des Geschichtsablaufs gerade nicht zerbrochen, sondern es benutzt hat, um von sich aus «Heilstatsachen» zu setzen?

Von der Frage, ob es «Heisstatsachen» geben kann, für die das Geschichtskontinuum das vehiculum bildet, sei hier einmal abgesehen. Wenn man sie zu bejahen geneigt ist, kann man dann aber nicht deutlich machen, wie sich diese Geschichte von jeder beliebigen anderen, die doch auch unter der providentia Dei steht, unterscheidet[51].

Nach der gängigen Anschauung soll aber die so im Sinne der Heilsgeschichte verstandene Geschichte Israels qualitativ aus aller sonstigen Geschichte herausgehoben sein. Die damit postulierte Qualität, Einzigartigkeit der Heilsgeschichte kann doch nur darin bestehen, daß die Heilstaten Gottes, für die diese Geschichte das vehiculum bildet, anderer Art sind als in jeder Geschichte sonst. Worin liegt dann diese ihre besondere Qualität?

Das in präzisen Sätzen auszusagen bleibt unmöglich. Vorgegeben ist die Tatsache, daß die Geschichte Israels, das vehiculum, ein Kontinuum ist wie jede andere Geschichte sonst. Heilstaten Gottes, die qualitativ anderer Art gewesen wären wie das, was wir sonst als geschichtsgestaltende providentia Dei erachten, hätten das Kontinuum sprengen müssen, wenn denn ihr Charakter als schöpferische Heilstaten Gottes ernst genommen sein will. Die Bibel weiß zwar von vielen solcher Gottestaten, die sich als Eingriffe von oben in das Kontinuum darstellen: Rettung Noahs in

[51] Von hier aus ist es an sich folgerichtig, wenn W. Pannenberg die «Heilsgeschichte» mit der Universalgeschichte ineinssetzt; inkonsequent ist es aber, wenn diese Identifikation auf die Geschichte post Christum beschränkt wird, während Heilsgeschichte ante Christum allein die Geschichte Israels ist; vgl. W. Pannenberg (Hrsg.), Offenbarung als Geschichte, KuD Reih 1, (1961) ²1963, 97 f; kritisch dazu G. Klein, Theologie des Wortes Gottes und die Hypothese der Universalgeschichte, Beitr. zur evTh 37, 1964, 72 ff.

der Sintflut, Herausrufung Abrahams, Berufung des Mose, Befreiung aus Ägypten usw. In Wirklichkeit haben diese angeblichen Gottestaten aber das Kontinuum nicht gesprengt. Wo dieser Anschein erweckt wird, entlarvt sich das Erzählte als mythische Gewandung, die es abzustreifen gilt, oder es ist etwas als Historie erzählt worden, was unhistorisch ist. Es ist keine Gottestat zu nennen, die das Kontinuum «Geschichte Israels» gesprengt hätte. Diese steht demnach unter keiner providentia extraordinaria, ist qualitativ keine andere wie die Geschichte eines beliebigen antiken Volkes sonst. Gottestaten, von deren Faktizität der fromme Mensch auch angesichts dieser Geschichte überzeugt ist, sind in ihr genau so den Kausalitätsgesetzen unterworfen, wie in jeder anderen Geschichte sonst. So viel das Alte Testament von Wundern zu berichten weiß – diese Geschichte ist genau so wenig mirakulös wie die Geschichte der Ägypter, Babylonier, und wer es sein mag.

Diese Tatsache gilt es zu sehen und ihr standzuhalten. Wo das nicht geschieht, wo man andererseits nicht zur Konstatierung von Mirakeln seine Zuflucht nehmen will, da bleiben nur Aussagen übrig, die zwangsläufig in jenem Nebel verharren, der klares Erkennen nicht zuläßt. Beispielhaft sei eine Passage in Martin Noths Geschichte Israels genannt, wo er einmal die sonst streng eingehaltene Basis des die Geschichte Erforschenden verläßt und auf das Feld von Spekulationen gerät: Im Zentrum der Geschichte Israels begegnen wir, so hören wir hier[52], Erscheinungen, «für die es keine Vergleichsmöglichkeiten mehr gibt, und zwar nicht deswegen, weil dazu bislang noch kein Vergleichsmaterial zur Verfügung steht, sondern weil nach allem, was wir wissen, dergleichen Dinge in der sonstigen Völkergeschichte überhaupt nicht begegnen». Hier ist der Geschichtsforscher und -darsteller einen Schritt zu weit gegangen und hat eine Behauptung gewagt, die er als Historiker nicht zu verifizieren vermag. Inwiefern die Geschichte Israels mit der Geschichte anderer Völker inkommensurabel ist, sagt Noth nicht, und er kann es auch nicht sagen. Nichts in dieser Geschichte fällt aus dem Rahmen, jedenfalls nicht so, daß man das Außergewöhnliche nur als einen Eingriff von außen, als ein kontingentes Handeln Gottes zu deklarieren vermöchte.

Eine «Doppelgesichtigkeit» der Geschichte Israels über das hinaus, was in dieser Hinsicht von jeder beliebigen Geschichte sonst gesagt werden kann, gibt es nicht. Keinesfalls soll hier geleugnet werden, Gott habe an Israel, in Israels Geschichte gehandelt. Aber es wird bestritten, daß Gott in dieser Geschichte in extraordinärer, ihr Kontinuum an irgendeinem Punkte aufhebender, durchbrechender Weise gehandelt hat. Die Religionsgeschichte Israels ist

[52] M. Noth, Geschichte Israels, (1950) ⁶1966, 11.

dadurch von derjenigen anderer Völker unterschieden, daß dieses Volk es unter der Maske «Jahwe» mit dem lebendigen Gott zu tun hatte, der sich dann in Jesus Christus ein für alle mal endgültig erschloß. Dies bedeutet aber nicht, daß man die Geschichte Israels selbst zu einer Gottesgeschichte besonderer Art, zu einer Heilsgeschichte aufwerten könnte. Was an dieser Geschichte wunderbar scheint, ist Miraculum, für uns entmythologisierbar wie das Mirakulöse in der Religionsgeschichte anderer Völker. In Wirklichkeit hat Gott sein Handeln an Israel ganz hineingebunden in die jede menschliche Geschichte bestimmende Abhängigkeit von Kausal- und Finalverhältnissen.

Darum unterscheidet sich die Geschichte Israels qualitativ nicht von der Geschichte jedes beliebigen anderen Volkes. Weil es ein extraordinäres Handeln Gottes in dieser Geschichte nicht gibt, ein Handeln, das das Kontinuum sprengen würde, darum ist die These nicht möglich, die Geschichte Israels sei vehiculum für eine Kette einzigartiger göttlicher Taten, die dieser Geschichte den Charakter einer «Heilsgeschichte» geben würden.

Es ist nicht ein extraordinäres Handeln Gottes, was Israel aus der Reihe der Völker heraushebt. Es sind nicht Heilstaten Gottes, die Israels Geschichte zur Heilsgeschichte aufwerten oder sie wenigstens zum vehiculum solcher Heilstaten machen. Das Israel des Alten Testaments ist allerdings, ebenso wie später die neutestamentliche Gemeinde, eine Größe sui generis gewesen. Dies aber nicht durch Heilstatsachen und durch eine Heilsgeschichte, sondern dadurch, daß der lebendige Gott durch vollmächtige Zeugen zu diesem Volk – und durch dieses Volk zu den Völkern – geredet, daß er sein Leben schaffendes und Tod wirkendes Wort mitten in diese Gemeinschaft und in ihre Geschichte hinein gegeben hat, ein Wort, das durch jeweilige Vergegenwärtigung, Aktualisierung und durch Interpretation in die Verkündigung der biblischen Zeugen einging. Kein Geschichtskontinuum löst das Wort Gottes aus; kein Geschichtskontinuum bewirkt Verkündigung. Gott bleibt frei, sein Wort in diese Geschichte hineinzugeben, dieses Wort verkündigen zu lassen und dadurch Glauben zu wirken, wann es ihm gefällt. Umgekehrt freilich vermag das in Israel und seine Geschichte hineingegebene, innerhalb dieses Volkes und seiner Geschichte verkündigte Gotteswort Geschichte mächtig in Bewegung zu bringen und vorwärtszutreiben.

## 2. Der Christus crucifixus und das Geschichtskontinuum

Wir verlassen wiederum den engeren Bereich der Untersuchung alttestamentlicher Sachverhalte und wenden uns zum Schluß einer Frage zu, die man als Kernfrage unseres Problems bezeichnen muß: Kann man dann, wenn innerhalb des alttestamentlichen Teils der von Gott gewirkten Geschichte keine das Kontinuum durchbrechende Gottestat behauptet werden kann, wenigstens das «Faktum» Jesus Christus als solche ansehen?

1. Der Mensch Jesus von Nazareth kann jedenfalls nicht in diesem Licht gesehen werden. Die Kontinuität des Geschehenszusammenhangs ist auch durch Geburt, Wirken, Leiden und Sterben Jesu nicht unterbrochen worden; diese Ereignisse stehen ebenso in einem Kausalzusammenhang mit vorher Geschehenem wie jedes andere Ereignis auf Erden sonst auch. Daß Jesus geboren wurde, ist ebensowenig etwas Außergewöhnliches wie die Tatsache, daß er in einer bestimmten Hinsicht sich öffentlich betätigte. Dieses Auftreten hatte wiederum bestimmte Konsequenzen, die ihrerseits in den von der geschichtlichen Entwicklung geprägten Zeitverhältnissen angelegt waren; daß dieser Jesus von Nazareth mit seinem so gearteten Auftreten scheiterte, daß er vielen seiner jüdischen Zeit- und Volksgenossen ärgerlich war, in erster Linie den Maßgebenden unter diesen, daß er schließlich eines schmählichen Verbrechertodes endete, wobei auch die römische Besatzungsmacht ihre Hand im Spiele hatte, das alles sind Ereignisse, die der Erforscher der Geschichte und der Religionsgeschichte ohne Schwierigkeit geschichtlich, insbesondere geistes- und religionsgeschichtlich abzuleiten vermag. Wenn an dieser Entwicklung irgendwo etwas dunkel ist, so liegt das an der Unzulänglichkeit unseres Erkenntnisvermögens, nicht aber daran, daß es unableitbar wäre.

Die kontinuierliche geschichtliche Entwicklung führt bruchlos zum gekreuzigten und am Kreuze endenden Jesus von Nazareth. Von da führt sie weiter zum Jüngerglauben, der Gekreuzigte sei auferstanden, mit allen Konsequenzen dieses Glaubens. Dieses Geschichtskontinuum führt aber nicht zu einem Faktum «Auferstehung Jesu». Ein solches Faktum wäre nur als eine extraordinäre Gottestat zu begreifen, die das Kontinuum alles Geschehens, auch der Geschichte an dieser Stelle gesprengt hätte. Anders ausgedrückt: Wäre das Faktum «Auferstehung» als eine Tatsache überhaupt denkbar – was nicht möglich ist –, so würde dieses Faktum als ein das Geschichtskontinuum sprengendes weder in eine Geschichte allgemein noch in eine Heilsgeschichte im besonderen einzuordnen sein. Eine Heilsgeschichte mit dem Ziel oder Mittelpunkt «Auferstehung Jesu» ist nicht denkbar; das gilt auch für den Theologen, der den Glauben der Christenheit verstehbar zu machen versucht.

Das Geschichtskontinuum kann aber auch nicht zu einem Faktum, einer «Heilstatsache» führen, die man als «Heilsbedeutung des Kreuzes Jesu» bezeichnen könnte. Wenn das Kreuz, oder besser:

wenn der gekreuzigte Christus eine ausschlaggebende Bedeutung für das Heil der Welt hat, wie es die Botschaft des Neuen Testaments, insbesondere des Paulus aussagt[53], so ist das von Gott auf eine durchaus nicht ableitbare Weise so gesetzt. Daß der Christus crucifixus Heilsbedeutung hat, wird durch die auf ihn zulaufende Geschichte weder ins Werk gesetzt noch auch nur angebahnt. Was dieses Geschichte bewirken konnte und bewirkt hat, ist das Faktum «Jesus crucifixus». Was sie niemals hätte bewirken können, sei die Entwicklung gelaufen, wie sie wolle, ist das nur dem Glauben sich erschließende Faktum: Der Christus crucifixus bedeutet Heil für die Welt. Dieses Faktum, weil von Gott durch sein Wort proklamiert, ist – geschichtlich oder religionsgeschichtlich gesehen – völlig unableitbar.

Diese These gilt allerdings mit zwei Einschränkungen: a) Es ist zwar auf keine Weise nachzuweisen, daß Gott so handeln *mußte*; aber es war für den Glaubenden aus Israel nicht schlechterdings ausgeschlossen, daß Gott so handelte. Die Erforschung der Religionsgeschichte Israels konfrontiert nämlich mit einem Gottesbilde, demzufolge es nicht völlig unmöglich war, daß Gott einmal so handeln würde, wie er dann gehandelt hat. Auch das Alte Testament kennt den vergebenden, den gnädigen und barmherzigen Gott. Auch das Alte Testament weiß – wenn auch nur an wenigen Stellen – davon, daß keine Sünde so schwer ist, daß sie dem radikal Buße Tuenden nicht doch vergeben werden könnte. Hie und da leuchtet im Alten Testament sogar so etwas wie das «sola gratia» auf. Bereits das Alte Testament weiß einige Male davon, daß Gott sich wider alle Erwartung dem Armen, Geringen, Verachteten zuwendet, weil er an dem Gefallen hat, der zerbrochenen Geistes ist. Das, was wir die theologia crucis nennen, kann in bestimmten Wesenszügen durchaus schon im Alten Testament aufgespürt werden. Nur – daß es im strengen Sinne eine theologia *crucis* ist, davon weiß das Alte Testament nichts. Es kann sie in ihrer ganzen Tiefe nicht kennen, weil ihm der radikale Sündenbegriff des Neuen Testaments fehlt, wonach gerade die moralische Korrektheit, das getreue Befolgen des Gesetzesbuchstabens zutiefst in Sünde verstricken kann. Es weiß noch nicht, kann noch nicht wissen, daß es von der «Erfüllung der Zeit» an Heil, Vergebung, Friede nur durch das Heilsgeschehen im Kreuze Christi geben kann. So weiß es wohl von einem Gotte, der so handeln könnte, wie der Vater Jesu Christi gehandelt hat; davon aber, daß er tatsächlich so gehandelt hat, weiß es nichts.

b) Negativ ist das im gekreuzigten Christus erschienene Heil nicht

---

[53] Neuerdings wieder in gültiger Weise dargestellt durch E. Käsemann, Die Heilsbedeutung des Todes Jesu bei Paulus, in: Paulinische Perspektiven, 1969, 61–107.

denkbar ohne die Voraussetzung: Durch das im Gesetz ergebende Wort Gottes entlarvt sich die Heillosigkeit des Menschen in ihrer ganzen Tiefe. Diese aber wird gerade in der alttestamentlichen Geschichte in exemplarischer Weise sichtbar. Der alttestamentliche Mensch steht in einer Weise, zu der es in anderen Religionen kaum Analogien gibt, dem personhaft-lebendigen Gott gegenüber, vor dem er sich für Versagen und Schuld zu verantworten hat. Die Geschichte des heillosen Menschen, exemplarisch dargestellt in der Geschichte des Scheiterns des israelitischen Menschen, ist offen für ein Heil Gottes, das als solches zwar erwartet und herbeigesehnt werden konnte, das auch erwartet und herbeigesehnt worden ist, das jedoch in der Gestalt, in der es kam, unableitbar gewesen ist.

2. Hat der Mensch Jesus von Nazareth das Geschichtskontinuum nicht gesprengt, so muß Gleiches auch von dem gesagt werden, den das Neue Testament und der christliche Glaube mit der Chiffre «Jesus Christus» bezeichnen. Was an ihm scheinbar geschichtssprengende Gottestat ist, muß entweder als Mythologumenon gelten, oder es ist nur in Fakten umgesetzt faßbar, die eben nicht geschichtssprengend gewirkt haben. Machen wir uns das an jenen «Heilstatsachen» klar, die im apostolischen Glaubensbekenntnis mit Jesus Christus verbunden werden: Jungfrauengeburt und Empfängnis vom heiligen Geist, Höllen- und Himmelfahrt sind Mythologumena. Leiden und Gekreuzigtsein stellen geschichtsimmanente Fakten dar, von denen das Letztgenannte erst «zusätzlich», durch göttliche Setzung, mit Heilsbedeutung gefüllt ist. Die Auferstehung Jesu von den Toten ist als innergeschichtliches Faktum nicht verifizierbar; daß hier jenseits alles im Geschichtskontinuum Erfahrbaren etwas geschehen ist, wird uns faßbar ausschließlich im Überwältigtsein der Jünger, vorab des Petrus. Eine Reihe Jünger hatten eine Erscheinung und kamen dadurch zu ihrem Glauben an Jesus Christus als den Auferstandenen. Diese von der Erscheinung überwältigten Jünger sind ihrerseits ein Phänomen, das nicht außerhalb des geschichtlichen Kontinuums steht.

3. Nur eines bleibt folglich außerhalb der Geschichtskontinuität: die von Gott gesetzte Heilsbedeutung des Kreuzes, das die Jünger mit Gewißheit erfüllende Faktum, daß der Gekreuzigte lebt. Mit diesem wird von Gott her dem Menschen das Heil angeboten, weil und sofern er glaubt; damit wird ihm gesagt, daß das Gottesreich nahe. Heilsetzung durch Vergebung der Sünden, Angebot von Friede, Freude, Heil, Proklamation des nahenden Gottesreiches – das alles wird nun nicht als ein das Kontinuum der Geschichte sprengendes, sozusagen senkrecht von oben her einbrechendes Eingreifen eines Deus ex machina faktisch, sondern durch

das Mittel der Verkündigung und durch die Annahme des Verkündigten im Glauben. Wenn dabei das Geschehen, das an Person und Werk Jesu Christi hängt – vorab das Kreuzesgeschehen – eine entscheidende Rolle spielt, so nicht um eines hier, und nur hier, zu konstatierenden geschichtssprengenden und darum mirakulösen Eingreifens Gottes willen, sondern weil Gott für dieses innerhalb des Geschichtskontinuums bleibende Geschehen einmal und für immer die entscheidende Heilsbedeutung gesetzt hat.

Was ein bestimmtes Geschehen bedeutet, wird offenkundig erst durch Proklamation und Interpretation. Weder das Geschehen selbst noch die Proklamation und Interpretation seiner Bedeutung wirken dabei als den Ablauf der Geschichte aufhebend oder sprengend. Das absolute Novum: daß in diesem Geschehen Gott selbst zum Heile der Welt gehandelt hat, hat das kontinuierliche Weiterlaufen der Geschichte nicht gehemmt oder gar verhindert. Es berührt diese Geschichte auch nur in einer sehr indirekten Weise, indem nämlich der die Gottestat glaubende Mensch als ein durch diese Gottestat und ihre Annahme von Grund auf Verwandelter Geschichte zu gestalten und zu verändern imstande ist. Auch die Proklamation des nahe herbeigekommenen Gottesreiches sprengt das Geschichtskontinuum nicht. Denn dieses Gottesreich ist, entgegen der Ansicht der Revolutionäre und Utopisten aller Schattierungen, nie eine Größe gewesen und wird nie eine solche sein, die man als eine unmittelbar im Geschichtsablauf greifbare und wirksame Macht, als ein «Reich von dieser Welt» erleben könnte. Solches gilt, was die Größe «Gottesreich» selbst betrifft; es wird allerdings nicht in Abrede gestellt, daß glaubende Menschen im Gefolge ihrer Überzeugung, daß das Gottesreich von göttlicher Dynamis sei, diese Welt und deren Geschichtsablauf wesentlich zu verändern imstande waren. Es sei auch hingewiesen auf die immer wieder auftretenden Utopisten, die das Gottesreich als geschichtsgestaltende Macht zu erleben wähnten und nun ihrerseits durch diesen Wahn und dessen Folgen Geschichte gestalteten und veränderten. Das vom Neuen Testament proklamierte Gottesreich selbst ist jedenfalls eine Größe, die als solche in der Geschichte der Menschheit nicht unmittelbar wirksam geworden ist und wird; gerade dies unterscheidet sie fundamental von allen sonst denkbaren Machtgebilden.

Die unableitbare, kontingente Gottestat, von der christlicher Glaube weiß, hat demnach das Kontinuum der Geschichte indirekt wohl stark beeinflussen und verändern können, hat es aber an keiner Stelle gesprengt, obwohl diese Gottestat ein absolutes Novum setzte. Das Novum dieser Gottestat ist nur dem Glauben zugänglich, während die Erforschung der Geschichte und ihrer Einzelereignisse eine Angelegenheit der menschlichen ratio ist.

4. In einem anderen und tieferen Sinne wirkt allerdings der Christus crucifixus, verstanden als das Heil Gottes für die Welt, durchaus geschichtssprengend. Die Geschichte ist nicht nur jener kontinuierliche Geschehensablauf, als welchen wir «Geschichte» bisher gefaßt haben. Geschichte ist darüber hinaus und jenseits dessen viel mehr; sie ist viel hintergründiger, abgründiger. Wir haben sie zu definieren, zu verstehen als «das Produkt der Anstrengungen ..., die Sünder machen, um leben zu können»[54]; sie ist «das zeitlich verfallende Sein, in dem der Mensch seine Bemühungen um das Lebenkönnen vererbt, weil er sich selber zu übertreffen sucht»[55]. Geschichte in diesem Sinne ist das Produkt des Strebens nach Macht, wie es der sündige, der gottlose Mensch allenthalben an den Tag legt; so ist das Geschehen in der Geschichte summa summarum etwas zutiefst Gottwidriges. Die so verstandene Geschichte gehört mit zur «Welt», weil sie «Produkt des Lebenshungers des sündigen Menschen» ist[56].

Damit daß wir konstatieren, Geschichte sei ihrem Wesen nach Ausdruck des hybriden Denkens, Wollens und Handelns des zutiefst gottlosen Menschen, ist unsere Feststellung von vorhin, daß Gott in der Geschichte mit Hilfe menschlicher Gedanken, Taten und Unterlassungen wirkt und sie dadurch vorwärtstreibt, von ihm gesetzten Zielen entgegen, nicht etwa ad absurdum geführt. Nur müssen wir nunmehr etwas genauer formulieren: Es ist der Deus absconditus – im Sinne von Luthers «De servo arbitrio» –, der Geschichte auf diese Weise macht, lenkt und gestaltet. Anders gesagt: Geschichte ist das Feld eines unaufhörlichen Kampfes zwischen dem verborgenen Gott, der letztlich der Herr und Lenker alles Geschehens bleibt, und dem sich selbstherrlich gebärdenden Menschen. «Sie ist in ihrem gesamten Verlauf ein Kampf zwischen dem Willen Gottes und dem des Menschen, nicht nur *an*, sondern *um* jeden einzelnen ihrer Punkte. Geschichte ist der Vollzug des Willenswiderstreites zwischen Gott und den Menschen»[57]. Geschichte gehört damit zu den Mächten, die über unser Leben bestimmen, unser Leben verdunkeln; sie ist über uns verhängt, und wir sind unentrinnbar in ihren Ablauf einbezogen. Sie bleibt Verhängnis, auch wenn es dem sündigen Menschen immer wieder einmal gelingt, Geschichte zu «machen» und damit die Welt, in der er lebt, grundlegend zu verändern.

Geschichte als «Produkt der Anstrengungen, die Sünder machen,

[54] E. Fuchs, Christus das Ende der Geschichte, in: Zur Frage nach dem historischen Jesus, 1960, 91.
[55] E. Fuchs, ebd., 92 Anm. 18.
[56] E. Fuchs, ebd., 95.
[57] W. Elert, Der christliche Glaube, (1941) [5]1960, 279; der letzte Satz gesperrt.

um leben zu können» – das gilt von der gesamten Menschheitsgeschichte zu allen Zeiten, in allen ihren Teilen. Die Geschichte
Israels, was man darunter auch verstehen mag, ist von diesem
Verdikt in keiner Hinsicht ausgenommen. Auch die Geschichte des
alttestamentlichen Gottesvolkes gehört wie alle Geschichte ungeachtet der Tatsache, daß der verborgene Gott in ihr wirkt und
sich letztlich dem selbstherrlichen Menschen gegenüber als ihr
eigentlicher Herr durchsetzt, ja gerade wegen dieser Tatsache, in
den großen Bereich hinein, den der Apostel als ὁ νόμος bestimmt.
Christus aber ist des Gesetzes Ende. So ist Christus auch das Ende
der Geschichte[58]. Die so verstandene Geschichte, Kampffeld des
Willenswiderstreites zwischen Gott und dem Menschen, ist durch
den Christus crucifixus entmächtigt, als erledigt entlarvt[59]. Wird
die Geschichte, als kontinuierlicher Geschehensablauf verstanden,
durch kein auf Gott zurückzuführendes Geschehen gesprengt, so
wird sie als Kampffeld zwischen dem Deus absconditus und dem
sich autonom wähnenden und sich entsprechend gebärdenden
Menschen durch das Wort vom Kreuz als machtlos, als prinzipiell
erledigt erwiesen. Der die Heilstat Gottes, im Christus crucifixus
geschehen, annehmende Mensch wird so von der als Verhängnis
verstandenen Geschichte befreit zu der herrlichen Freiheit der
Söhne Gottes (Rm. 8, 21). Es gilt tatsächlich die Alternativ-
frage[60]: Geschichtsmächte oder Evangelium? Die Antwort darauf
ist für den, der zur Freiheit berufen ist, unzweifelhaft.

5. Sprengt diese Heilstat Gottes im Christus crucifixus die Geschichte in dem zuvor erwähnten Sinne nicht, so führt umgekehrt
die Geschichte auch nicht auf sie zu. Wenn Gott dem Menschen
im Kreuze Jesu Christi die Möglichkeit eines neuen Seins er-
schließt, so ist diese Tatsache «in keiner Weise aus einem gesetz-
mäßig zu erfassenden Kausalzusammenhang ableitbar; sie war
ganz und gar nicht vorauszusehen, und man kann sie auch nicht
nachträglich mit rational einsehbaren Gründen plausibel machen
... Die Vergebung der Sünde ... ist damit ... tatsächlich ein Wunder im radikalsten Sinne des Wortes»[61]. Damit, daß man die
Proklamation des Heils in Christus als das Wunder schlechthin
faßt, wird noch einmal auf eine neue Weise deutlich: Heil und
Unheil sind nicht einfach Komplementärbegriffe, nur durch ihren
entgegengesetzten Inhalt unterschieden. Sie liegen auf ganz verschiedenen Ebenen. Daß Unheil kommen muß, kann durchaus auf

[58] Vgl. den Titel des Anm. 54 genannten Aufsatzes von E. Fuchs.
[59] E. Fuchs, (vgl. Anm. 54), 94.
[60] wie sie M. Geiger thematisch in seiner Untersuchung zu E. Hirschs
Geschichte der neueren evangelischen Theologie, ThSt 37, 1953, stellt.
[61] G. Klein, Wunderglaube und Neues Testament, in: Ärgernisse 1970,
35.

rationale Weise einsichtig gemacht werden. Daß Unheil von Gott her die Menschen ereilt, das ist geradezu das Gegenteil eines Wunders. Wenn beispielsweise die Propheten des Alten Testaments Unheil ankündigten, so taten sie damit zwar etwas für ihre Zeitgenossen zweifellos höchst Ärgerliches, aber sie brachten damit nur etwas zum Ausdruck, worauf der homo religiosus, der vom vergeltenden Handeln der Gottheit überzeugt ist, von sich aus kommt, kommen müßte. Dagegen ist das an Jesus Christus gebundene Heil, dessen Proklamation und Annahme gerade für den frommen und auf seine Frömmigkeit bauenden, eben darum zutiefst gottlosen Menschen Vergebung seiner Sünden bedeutet, unableitbar, stellt eine in keiner Weise voraussehbare Tat Gottes dar. Nun haben allerdings auch die Propheten Heil erwartet und angekündigt; das Heil, das sie meinten und erwarteten, ist jedoch letztlich in irgendeinem Sinne ableitbar und stellt insofern einen Komplementärbegriff zum Unheil dar. Denn der homo religiosus hat unter bestimmten Umständen sehr wohl Möglichkeit und Recht, ein Heil dieser Art zu erwarten. Was dann aber realiter von Gott her in Christus geschah, war weit mehr als nur Erfüllung prophetischer Heilserwartungen, war etwas völlig anderes, war ein unableitbares Wunder. Zum Wesen eines Wunders aber gehört seine Einmaligkeit. Wunder, die sich wiederholen würden, wären schon darum keine Wunder mehr, weil man sie dann nicht mehr als absolute Ausnahme von der Regel deklarieren könnte. Das Wunder als alles Gesetzmäßige Sprengendes läßt sich auch in kein Kontinuum einfügen. Ist die Proklamation der an den gekreuzigten Christus gebundenen Sündenvergebung als die Proklamation des Heils schlechthin ein Wunder, so kann es eine auf dieses Ziel hinführende oder eine dieses Heil als ein Geschehen neben anderen enthaltende Heilsgeschichte nicht geben.

Auch die Theologie der Heilsgeschichte, wie auch immer sie aussehen mag, leidet an einer unter den Menschen weit verbreiteten Art von Fehlsichtigkeit, dem Astigmatismus. Das infolge unregelmäßiger Krümmung der Hornhaut fehlsichtige Auge des Astigmatikers vermag einen Punkt nicht als solchen zu erkennen, sondern sieht ihn als «Stab» – daher die deutsche Bezeichnung «Stabsichtigkeit» für Astigmatismus –, als Linie. Die Theologie der Heilsgeschichte vermag das von Gott gesetzte Heil nicht als den Punkt zu sehen, der er faktisch ist, allein gegeben und gesetzt in dem Christus crucifixus. Wo nur ein Punkt ist, sieht sie eine Linie, die sich aus vielen anscheinend gleich wichtigen Punkten zusammensetzt. Das Heilsgeschehen legt sich ihr auseinander in eine Reihe einander folgender Heilstatsachen, und so entsteht, wenn man auch noch die alttestamentlichen Geschehnisse einbezieht, eine ganze Heilsgeschichte. Weil aber das Heil, das Glaube und Theologie meinen, nirgendwo in der Geschichte «enthalten» ist, weil die Geschichte darum auch nicht auf dieses Heil hinführen kann, sollte man endlich Abschied nehmen von dem Theologumenon der Heilsgeschichte.

# Bisher erschienene Hefte

Bei Subskription der Reihe
10 % Ermäßigung

* Ladenpreis aufgehoben,
Preis auf Anfrage

70

# Theologische Studien

Theologische Studien sind Versuche.
Sie sollen der Kirche helfen:
zur Erkenntnis ihres Grundes
und ihrer Bestimmung,
zur Wahrnehmung ihrer Verantwortun
zur Freude an der «Menschlichkeit
Gottes».
Durch wissenschaftliche Anstrengung
solche Hilfe zu leisten, ist gerade heute
notwendig.
Je besser es der Theologie gelingt,
Theologie zu sein, um so mehr werde
ihre Wirkungen unserer Zeit zugute
kommen.